十二歳の合い言葉

薫　くみこ　作
中島　潔　絵

ポプラ社文庫　A 184

もくじ

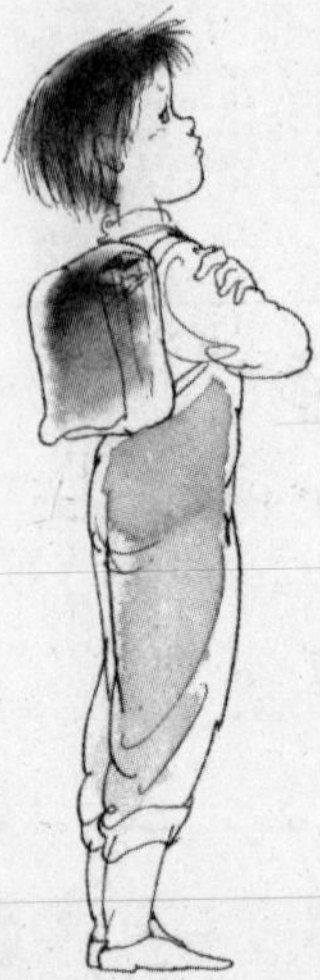

・作家紹介
薫　くみこ（くんくみこ）
一九五八年、東京に生まれる。女子美術大学デザイン科卒業。十二歳シリーズの「十二歳の合い言葉」で、第一二回日本児童文芸家協会新人賞を受賞。作品に、「あした天気に十二歳」「十二歳はいちどだけ」「広海（ひろみ）くん」「ドキンの森でたっちゃんどっきん」おまかせ探偵局シリーズ「人魚の身の上相談」「乙女はせつないバレンタイン」がある。

・画家紹介
中島　潔（なかしまきよし）
一九四三年に生まれ、佐賀県唐津西高校を卒業。広告界で活躍後、絵画活動にはいる。作品に、「おかしな魔女っこ一年生」「ふしぎの国のアリス」十二歳シリーズの「十二歳の合い言葉」や、青葉学園物語シリーズ「右むけ、左！」バカラッチシリーズの「とびだせバカラッチ隊」など、絵本、さし絵に活躍中。

十二歳の合い言葉

薫くみこ・作　中島　潔・絵

1 まず脱出《だっしゅつ》シーンから

「いい、じゃんけんして負けたら、このボンナイフで手を切るのよ」

「ほんとに切るの?」

「あたりまえじゃない。けがしてなきゃ保健室《ほけんしつ》にいかしてもらえないでしょ」

「いいじゃん、いいじゃん、おもしろいじゃん」

「頭いたいっていうのだめかな」

「もうあきあきするほど、それは使ったでしょ。いくら田丸《たまる》先生だってばかじゃないんだから」

「よしっ、決めた。ジャンケン」

「……」

六年三組、新学期がはじまって二週間目の金曜日。

きょうもまた担任《たんにん》の西田《にしだ》先生は学校をやすんでいる。菜々《なな》たちと西田先生は、すでに五年生からのつき合いになる。三十歳《さい》で独身《どくしん》、身長百七十センチ、体重六十八キロ、この見かけのわりに病弱《びょうじゃく》らしい西田先生は、月に一度は学校をやすむ。そして、そのたびに一組の小川《おがわ》先生、二組の戸辺《とべ》先生、四組の田丸《たまる》先生が交代《こうたい》にあらわれては、課題《かだい》をだしたり、授業をさせたりするのである。

きょうの五時間目は、四組が図工の時間なので、手のあいた田丸先生がやってきた。

いま、社会地図がみんなの机《つくえ》の上にひらかれてはいるが、田丸先生の話をきいて地図を目で追っているものは、どうさがしても五、六人しか見あたらない。みんな朝から変化のない自習をくりかえしたあげく、給食《きゅうしょく》でおなかはいっぱい。

そこへもってきて田丸先生の一本調子で教科書どおりの話ときたら、もうがまんの限界《げんかい》はとうにこえている。田丸先生が黒板に字を書くたびに天然極彩色《てんねんごくさいしき》のカラーボールが教室じゅうを飛びかい、おしゃべりが四方八方で銃撃戦《じゅうげきせん》を展開《てんかい》する。たまに、地図を見ている子がいるかと思うとじつは地図のなかにはマンガがサンドイッチされているのだ。

そんなめちゃめちゃな教室のすみに、やたら目をきらきらさせた三人の女子生徒が

ひたいをよせ、なにかささやきあっていた。そして、その話がいちじ中断《ちゅうだん》すると、

「いくわよ」

三人のなかでも、いちばん顔《かお》だちのととのった、黒い髪《かみ》を背《せ》なかまでのばした女の子が、ほかのふたりに強い口調《くちょう》で念《ねん》をおすようにいった。

そのとたん三人はすっと背《せ》すじをのばし、まゆをひそめると、ゴクリとなまつばをのみこんだ。

窓《まど》ぎわのいちばんうしろ、いま小さく声をかけたのが、学年の女子でもっとも背が高く、色白《いろじろ》美人《びじん》の秀才《しゅうさい》、汐沢《しおさわ》かおり。

そのななめ前でうしろをむき、不安な顔をしているのが川辺《かわべ》菜々《なな》。小麦色《こむぎいろ》の顔にくりくりの大きな目、すこしウェーブのかかった茶色い髪に段《だん》カット。三人のなかでいちばんぽっちゃりした、標準《ひょうじゅん》タイプの女の子である。

それから、あまりの騒《さわ》がしさに最前列に島流《しまなが》しにされたまんまる笑顔《えがお》の本居《もとい》梢《こずえ》も、教室内の混乱《こんらん》にまぎれて、かおりのとなりの席に出張してきている。

梢は、さもスポーツウーマンといった感じのショートカットがにあう、骨格《こっかく》のしっかりしたほがらかな女の子である。成績は……いわぬが花としておこう。

つまり、この森《もり》の下《した》小学校創立《そうりつ》以来の悪童《あくどう》と評判《ひょうばん》の高い（しかも、女の子ということでセンセーショナルな）三人組が、また例のごとくなにやら相談ちゅうということなのだ。

（負けないわよ）

（私ではありませんように）

（かおりかな？　菜々《なな》かな？　オモシロイ、オモシロイ）

声を低くして、三人は声をそろえた。

「ジャン、ケン、ポイ！」

あっさり負けたのは梢《こずえ》だった。指でチョキの形をつくったまま梢のひたいから血《ち》の気《け》がひいた。まるいまゆがいっしゅんまっすぐになった。菜々とかおりはひそかに目と目で勝利をよろこびあった。

「ちょっと待ってね」

かおりはおもむろにボンナイフを手にとると、自慢《じまん》のフィリピン製《せい》のビーズの手《て》さげ袋《ぶくろ》をさぐり、マッチをとりだした。

「そんなもの持ってるの⁉」

「見つかるとヤバイよ」

「シッ、先生がこっち見てる」

かおりは教科書を立てて、じっと文字を追った。菜々《なな》はなにも書いていないノートをやたらにけしゴムでけした。梢《こずえ》は黒板を見たままうごかなくなった。

この騒《さわ》ぎに、とうとう腹《はら》をたてた田丸《たまる》先生が、はげ頭まで赤くして教室じゅうをながめまわしている。しかしうんよく田丸先生の視線《しせん》は中央でさわいでいる木村誠《きむらまこと》と島崎勉《しまざきつとむ》にそそがれた。

「木村、島崎、静かに!」

そのすきにかおりがマッチをすった。菜々が目をまるくして見ていると、ボンナイフをマッチであぶって、そのあとノートのはしですすをきれいにふきとった。

「さ、これで消毒済《しょうどくず》みよ、梢」

「……うん」

「いたくないよ。きっと……」

「いたいに決まってんじゃん!」

梢はぶんぶん本気《ほんき》でおこっていた。そして、手首にボンナイフをあてた。菜々とかおりはギョッとして顔を見あわせた。

「バカ！」

かおりが小声でするどく梢《こずえ》にささやき、菜々《なな》がすばやくボンナイフを持った手を、手首からひきはなした。

「え？」

梢がびっくりしてふたりの顔をこうごに見た。

「梢！　だれが死ねっていったのよ。そんなとこ切ったら死んじゃうじゃない。ひとさし指のさきとか、いたくなさそうなとこ切るのよ」

「あ……！」

梢はかおりにいわれて、やっと気がついたらしく、こわそうに左手首をセーターの横腹《よこばら》でこすった。それからあらためて、ひとさし指にボンナイフをあてた。

「そこの三人！」

はじかれた豆のように三人はとびあがり、そのひょうしで梢はほんとうに指を切った。かおりはそれを見ると、高い声でさけんだ。

「先生！　本居《もとい》さんが指を切りました」

そこで梢《こずえ》は、すかさずなさけない声をだす。

「いたあ……」

菜々《なな》は梢をかかえるようにした。

「保健室《ほけんしつ》にいってきます」

そして三人は立ちあがり、小走《こばし》りで教室の出口へむかった。

「おい」

ガラガラガラ……

田丸《たまる》先生が呼《よ》びかけたのと、引《ひ》き戸《ど》をあけたのは同時だった。

「指を切ったくらいで」

三人は廊下《ろうか》に出た。

「二人もついていかんでいい！」

ピシャッ
三人は廊下をはねるように走っていた。

脱出成功《だっしゅつせいこう》!

放課後《ほうかご》の職員室《しょくいんしつ》――。コツコツと腹《はら》だたしげに机《つくえ》をたたく音がする。三人はだまってうつむいている。校庭《こうてい》には葉桜《はざくら》が風に揺《ゆ》れ、ときおり、野球部《やきゅうぶ》の歓声《かんせい》がひびいている。三人のとなりには、はげあがったひたいを汗《あせ》でいっぱいにした田丸《たまる》先生まで、おなじくうつむいている。

「これで何回目かね」

教頭《きょうとう》の吉沢《よしざわ》先生がしぶい顔で、目のまえの四人をにらみつけた。

いつものことだけれど、こういうとき菜々《なな》は田丸先生には悪いと思う。田丸先生は、菜々の三、四年のときの担任《たんにん》の先生である。先生は菜々をかわいがってくれたし、菜々も先生が好《す》きだった。

その田丸先生のこんなすがたを見るのはつらい。だからこそ、いつも二度と田丸先生がいらしたときだけはなにかするのをやめよう。こまらせるのはやめよう。そう決《けっ》意《い》するのだけれど、その決意をわすれさせるほど田丸先生の授業はおもしろくない。

そのうえなぜか気候のいい日にばかり、西田《にしだ》先生の代役《だいやく》としてあらわれるのだ。

川辺菜々《かわべなな》、汐沢《しおさわ》かおり、本居梢《もといこずえ》。

この三人が一週間つづけて職員室《しょくいんしつ》に顔を見せないことはない。三人にいわせれば、このうち半分はぬれぎぬであり、まったくおぼえもないことで、ここに呼《よ》ばれているという。半分とまではいかなくても、なにか問題が起きるたびに三人の名があげられ、それだけで解決《かいけつ》したように処理《しょり》されることはたしかだった。

この前、西田《にしだ》先生の算数の教科書がなくなったときだ。この教科書は生徒のものより厚くてどうも、問題の答えなども出ている特別のものらしい。西田先生はさんざん教卓《きょうたく》のひきだしなどをガタガタいわせてさがしていたが、とつぜんハッとしたように顔をあげると、さがす手をとめ、どなった。

「川辺！　おまえだな！」

菜々はそのとき、うしろをむいてかおりと共作《きょうさく》しているマンガのギャグを話しあっていたから、ふりかえった顔には笑いがのこっていた。

それがいけなかった。西田先生の顔は月夜《つきよ》の晩《ばん》の狼男《おおかみおとこ》のように、みるみる変化をみせた。

「そんなに楽しいか！　そうやって教師をばかにして、おまえらおもしろいかっ!!」

菜々《なな》にも、かおりにもおぼえがないから、なんのことやらさっぱりわからない。そして、わからないまま、さんざんにどなられる。こうなると西田《にしだ》先生はなにをいおうと聞《き》く耳《みみ》を持たないから、しかたなくそのまますますことになる。

次の日の算数の時間、すまして黒板に問題をかいていた先生の手に、きちんと教科書が持たれていた。きっと自分がわすれてきていたにちがいない。そうであっても、とぼけているからまいってしまう。教師というのは、どなることはできても、生徒にあやまることはできないらしい。

それから、去年《きょねん》の夏はわらってしまった。プールの時間に島崎勉《しまざきつとむ》のパンツが消えたのだ。これは梢《こずえ》のいたずらということになった。

「ばかにしちゃって、頭くるじゃん！　だれが島崎のきたないパンツをかくすのさ！」

梢がまんまるのほおをパンパンにふくらませておこるそばで、菜々とかおりはお腹《なか》をかかえてわらいころげていた。

かけ時計《どけい》がボーンと鳴った。四時半である。吉沢教頭《よしざわきょうとう》先生はお説教《せっきょう》を中断《ちゅうだん》し、腕《うで》

時計《どけい》に目をやった。それからわざとらしいせきばらいをひとつすると、

「いいね。二度とくりかえさないように反省するんですよ。反省、さあ声をそろえていってごらん」

いつもどおりの教頭先生《きょうとう》のきまり文句である。窓《まど》ぎわにすわっている新任《しんにん》のわかい女の先生が、赤い顔をして笑《わら》いをこらえている。

「はんせーい」

三人のまのぬけたような声がひびくと、どこかで笑い声がもれた。教頭先生はその方向をちらりとにらんでから、三人と田丸《たまる》先生をときはなった。

三人は職員室《しょくいんしつ》を出ながら、あした西田《にしだ》先生が出てきたら、またこの話をきかされてまっ赤な顔で教室にはいってくることを思い、ぞっとした。

ふと横をむくと、うしろのとびらから田丸先生が出てきた。職員室にいづらいのか、廊下《ろうか》の窓《まど》によりかかってため息《いき》をついている。田丸先生の細くてきゃしゃなからだつきは、いつにもまして小さく見えた。

菜々《なな》はとなりに立っていた梢《こずえ》の手をぐっとひいてから、田丸先生のほうへ走っていった。そのあと梢が菜々のあとについて歩きだし、最後にちょっと口をゆがめてみ

せてから、かおりがしぶしぶよってきた。田丸《たまる》先生のうしろに大柄《おおがら》な三人がとりかこむような形でならぶと、小柄《こがら》な田丸先生はほとんど見えなくなった。

「田丸先生……」

菜々《なな》が小さくそう呼《よ》びかけたあと、そのまましばらく沈黙《ちんもく》がつづいた。気まずい空気が流れていくなか、ぽつりと田丸先生が口をひらいた。

「ぼくの授業はおもしろくないかい？」

菜々は言葉につまってしまった。「いいえ」なんて、しらじらしくていえないし、まさか「はい」というわけにもいかないではないか。

「はい」

ぎょっとした菜々が、とびださんばかりの大きな目で横をむくと、梢《こずえ》が神妙《しんみょう》な顔つきで田丸先生の顔を見ている。

（梢のバカッ）

菜々は、思いきり梢の足をふんづけた。かおりはそっぽをむいて、笑《わら》いをかみころしている。しらけたふんいきのなかで、田丸先生と三人はだまってむかいあっていたが、そのうち田丸先生がフッとわらい、三人にやさしい目でうなずいて見せた。

「ヨシ、帰りなさい」

三人はちょっととまどったように、顔を見あわせたり、田丸《たまる》先生を見たりしていたが、梢《こずえ》が、「さよなら！」と威勢《いせい》よく頭をさげるのを合図に、かおりは頭をさげ、梢と廊下《ろうか》をもどっていった。菜々《なな》は、田丸先生をふりかえり、ふりかえり、なにか気のきいた自分の気持ちをつたえる言葉をさがしたが、見つかる前に、田丸先生は廊下からすがたをけしてしまっていた。

校舎《こうしゃ》を出ると、西の空が桃色《ももいろ》に染《そ》まりはじめていた。

菜々はプンプンしながら梢にいった。

「梢のいじわる！」

「どうしてさ、だっておもしろくないじゃん。ねえ、かおり」

「まーね」

菜々は、梢にかみつかんばかりにくってかかった。

「思いやりがないのよ！　かわいそうじゃない！　田丸先生やさしいひとなのに」

「やさしいけどさ、やっぱおもしろくないのはほんとうじゃん」

ふたりのやりとりをききながら、かおりは口をへの字にゆがめ、それから口をひらいた。

「そうはいっても菜々《なな》だって、おしゃべりはするし、教室からぬけだすじゃないの」

「だって……それは……」

菜々は言葉につまってしまった。

「つまり、田丸《たまる》先生はやさしいひとでも、だめな先生なのよ」

「そーだよ。四組の子なんてみんなそういってるよ。はっきりしないしさ、あたし好《す》きじゃないな」

菜々はまばたきもせず、大きな目でふたりをにらんだ。

「私は好きよ。だめだって好きだもん」

そして、そういったきりぷいっと横をむきそのままだまってしまった。

かおりは梢《こずえ》にへの字の口をゆっくりして見せ、梢は肩《かた》をひゅっとすくめ、そのあといいあわせたように菜々をそのままほっぽって、歩きだした。菜々は、ふたりのすがたが校門に消えてから、ゆっくり夕焼《ゆうや》けのなかを家にむかって歩きはじめた。

「菜々ってあーいうとこあんだよね」

「趣味《しゅみ》よくないのよ、わけのわかんないひとやよわよわしいのが好《す》きなんだから」
「田丸《たまる》先生好きな生徒なんて、菜々《なな》くらいかもよ」
「ほんと」

2 もうれつな学校生活

下がなにやら騒《さわ》がしい。階段《かいだん》を駆《か》けおりる足音が鉄筋《てっきん》の校舎《こうしゃ》にすごいいきおいでひびきわたる。

菜々《なな》は、ほうきやぞうきんを持って窓《まど》から下をのぞくクラスメートをのこし、手にした黒板《こくばん》ふきをはめたまま廊下《ろうか》へとびだした。男子生徒が目のまえを何十人も走っていく。女子も何人かまじっている。

なにごとか？　火事か？　菜々は群れのなかにはいりこむと顔見知りをさがした。クラス委員の高木慎二《たかぎしんじ》が右前方にいる。菜々は人波《ひとなみ》をおしわけながら、慎二に近づき、背《せ》なかをたたいた。

（あ……いけない）

菜々は夢中《むちゅう》のあまり、黒板ふきをはめた右手で、慎二のセーターの背なかをたたいてしまったのだ。白い煙《けむり》がもうもうとあがるなか、慎二《しんじ》がふりむいた。

「なんだ、川辺《かわべ》か。ん？　なに、この煙」

菜々《なな》は黒板ふきをうしろにかくしながら、慎二の質問は無視《むし》して、きいた。

「ねえ、なに？　この騒《さわ》ぎ」

鉄筋《てっきん》の校舎《こうしゃ》は四階建てで、六年生の教室はそのてっぺんの四階にあるのだが、階をおりるごとに、各階の下級生がくわわり、群れの人数はふえるばかりである。

「なんか、すごいケンカらしいよ」

「ケンカ？」

「一組の大門《だいもん》と、とっくみあいのケンカをしてるやつがいるらしいんだ」

「えー！　あの怪物《かいぶつ》と」

一組の大門宏《だいもんひろし》とは、人並《ひとな》みはずれた巨体《きょたい》でときどきどぎもをぬくような行動《こうどう》をとる生徒である。鼻の下にはうす墨《ずみ》をぬったようなひげまではえ、近くによると汗《あせ》くさいようなへんな臭《にお》いがした。猫《ねこ》をふりまわして壁《かべ》にたたきつけたとか、蛇《へび》をひきちぎったとか、きくのもぞっとするような話のある危険人物《きけんじんぶつ》なのだ。

一階のくつ箱《ばこ》の前をとおりすぎると、裏《うら》の非常階段《ひじょうかいだん》の下に人だかりがしているのが見えた。菜々《なな》は黒板《こくばん》ふきを、窓《まど》の張《は》り出《だ》しの上におき駆《か》けよった。そして、その輪のなかにはいりこむと、つま先立ちをしながら近くの子にたずねた。

「ねえ、だれが大門怪物《だいもんかいぶつ》とケンカしてるの?」

しかし、その子には菜々の質問はきこえないらしく、押《お》し合いへし合いしながらいっしょうけんめい見物することで、頭はいっぱいのようだった。

菜々たちの住むこの地域《ちいき》は一般《いっぱん》に山《やま》の手《て》と呼《よ》ばれるところで、都心《としん》のわりには緑のおおい静かな住宅地である。そして、線路沿《せんろぞ》いの団地や駅付近の商店街《しょうてんがい》をぬかせば、八十パーセントがサラリーマンの家庭といっていい。

菜々は、輪の外側をとびはねながら走り、どこからも見えないとわかると、非常《ひじょう》階段《かいだん》のところへいったが、そこも満員。なんとか上に登っていくと、泣《な》きさけぶ女の子の声がした。

「やめてっ、やめてよ。おねがい――!」

菜々は大きな目をさらに大きくひらいた。

「すごい! 映画《えいが》なみじゃない……!」

そこまでいって、菜々はわが耳をうたがった。泣きさけんでいるのはかおりではないか。

「梢《こずえ》が死んじゃう――！」

ドーン
菜々《なな》はびっくりしたひょうしに前の子におされて、踊《おど》り場《ば》へ転落《てんらく》した。菜々はみんなの足のあいだから、とっくみあっているふたりをひっしでさがした。

ふたりを見つける前に人垣《ひとがき》がわれて、六年担任《たんにん》の男の先生たち、田丸《たまる》、西田《にしだ》、戸辺《とべ》各先生があらわれた。そのあと、まっ赤な顔で強暴《きょうぼう》に抵抗《ていこう》し、くちびるから血を流している猛獣《もうじゅう》のような大門怪物《だいもんかいぶつ》がひきずられていくのが見えた。

（梢はどこ、かおりは……）

うごきたいのだけれど、菜々は腰《こし》をひどく打って立てない。ぺったりと踊り場にしりもちをついたまま、かおりの泣《な》き声《ごえ》をきいていた。

保健室《ほけんしつ》から、かおりのひきつけるような泣き声がまだつづいている。

保健の女の先生はさっきからずっとブツブツ、「まったく」だの、「あきれた」だのといいつづけ、梢の顔をぬれたタオルでふいた後、流《なが》し場《ば》にいってしまった。

かおりは、腰《こし》に湿布《しっぷ》をあてて長いすにうつぶせになっている菜々《なな》をするどく見た。

「そんな顔したって……。しょうがないじゃない、落っこっちゃったんだもん」

「役たたず！　オッチョコチョイ」

かおりは切《き》れ長《なが》の目をつりあげて、ヒステリックにどなった。

「静かに、ここをどこだと思ってるの！」

流《なが》し場《ば》から顔だけだした保健《ほけん》の先生は、ひたいの横じわの上にさらに縦《たて》じわまでつくってふたりに注意した。

あわてて口をおさえたかおりの横のベッドには、鼻の穴《あな》に大きな脱脂綿《だっしめん》をつめた梢《こずえ》がねている。梢はてんじょうに顔をむけたまま、笑《わら》いをこらえたような声でいった。

「もういいじゃん、かおり。べつにどうってことないよ。鼻血《はなぢ》が出ただけなんだから。かえって菜々のほうが重傷《じゅうしょう》みたいだよ」

「フン、そんなことないですっ」

菜々はくるりと壁《かべ》のほうにむくと、ふてくされたように言葉をつづけた。

「私の知らないところでケンカがはじまったんじゃない。加勢《かせい》しようったってできないもんね。だいたい掃除《そうじ》さぼってふらふらしてるから、こういうことになるんですよーだ」

梢《こずえ》がむっくり起きあがった。

「あ、いまのは許せないね。きのうさぼったのだれだったたっけ？」

「うるさい！　川辺《かわべ》さんは保健委員《ほけんいいん》でしょ。自覚《じかく》なさい！」

保健の先生が、脱脂綿《だっしめん》をちぎりながらどなると、菜々《なな》は下をむき、ふたりはだまった。

騒《さわ》ぎの内容はこうである。

梢とかおりが、掃除をさぼって校舎《こうしゃ》の裏《うら》へむかうとちゅう、大門怪物《だいもんかいぶつ》と出あった。最近いちじるしく成長のめざましいかおりにちらっと目をやった怪物は、すれちがいざまに、かおりの胸をさわった。

かおりはおどろくのと同時に、怪物のひげづらを思いきりたたいた。そして、おこった怪物がぶらさげていた給食袋《きゅうしょくぶくろ》でかおりをたたこうとしたとき、袋のゴムひもが切れて、かおりの首《くび》すじにあたった。見る見るかおりの白くて細い首すじが、ミミズ腫《ば》れになっていった。

そのとたん、梢《こずえ》の顔が青くなり、つぎのしゅんかん、かおりの目のまえをよこぎって怪物《かいぶつ》にとびついていった。

それからあとはさっきのとおりで、怪物は非常階段《ひじょうかいだん》に頭をぶつけ、こぶをつくり、梢の平手《ひらて》打《う》ちでくちびるを切った。梢は怪物のパンチを顔にくらって顔じゅう鼻血《はなぢ》でまっ赤にしながら、なおも格闘《かくとう》しつづけていた。そしてとちゅうで、先生たちがとめにはいって騒《さわ》ぎはおさまった。

ざっとこんなところである。

保健《ほけん》の先生は、シッといってひとさし指《ゆび》をくちびるの前にたてて見せてから、なにかノートに書きはじめた。菜々《なな》は、長いすから身をのりだすと、かおりにヒソヒソ声《ごえ》で話しかけた。

「かおりったらいろいろいうけど、かおりこそ梢を助けるべきじゃない。自分のために血《ち》だらけになってる親友《しんゆう》の前で泣《な》いてるなんてあきれちゃうもんね。まるで、原田《はらだ》か河合《かわい》なみ」

かおりは、そのとたんすすり泣きをやめ、ぱっと菜々をにらみつけた。

原田泰子《はらだやすこ》と河合《かわい》めぐみというのは、西田《にしだ》先生のおきにいりで、三人がいちばんきらっているクラスメートなのである。

「ちょっと！　いまのは訂正《ていせい》してよ。原田か、河合ってそれだけは許せないわ！」

「ひどいよ。そりゃあいいすぎだよ菜々《なな》」

興奮《こうふん》ぎみにふたりが菜々にそういった直後、なにかがたおれる音がした。

見ると保健《ほけん》の先生が立ちあがり、いままで先生がすわっていたいすがうしろにころがっている。保健の先生の顔は、しわしわの猿《さる》のような赤い顔になり、にぎったこぶしはふるえていた。

「出ていきなさい！　そんなにケンカが好《す》きなら、ねているひつようはありません！　とっとと出ていきなさい！」

ねていたふたりが号令《ごうれい》をかけられたようにとび起きると、三人はそろって保健室から逃《に》げだした。

次の日、四時間目の体育が終わると、からだじゅう汗《あせ》でぐっしょりだった。今年も異常気象《いじょうきしょう》でもう外は夏のような日射《ひざ》しだった。

給食の後、菜々《なな》と梢《こずえ》はどこかへ出ていってしまい、かおりだけが、外に出るのもおっくうで教室に残っていた。そこへ西田《にしだ》先生が、煮《に》しめたようなハンカチで首のあたりをぬぐいながら、教室にはいってきた。かおりは反射的《はんしゃてき》に目をそらすと、窓《まど》の外に気をとられているふりをした。

五年生のころから西田先生は、おとなっぽくて美人のかおりになんとなく目をとめていて、なにかにつけてかおりに近づこうとする気配《けはい》があった。そのつどかおりは、菜々と梢の手をかりては、手ひどい仕打《しう》ちをくりかえしてきたのだが、いまだにその名ごりがあり、かおりは西田先生が近づくだけで、鳥肌《とりはだ》がたつ。

西田先生は、教卓《きょうたく》のまわりをぐるぐるまわり、なにかをさがしているようだったが、しばらくしてその気配もやんだ。ちょっといやな気分がしてかおりがふりむくと、西田先生がじっとかおりのうしろ姿《すがた》を見ていたのだ。

かおりは思わず悲鳴《ひめい》をあげそうになり、口をおさえた。しかし、西田先生はかおりの気持ちをよそに、例のごとくなれなれしく近づくと、手に持っていたものをさしだした。

「おい汐沢《しおさわ》。おれのくつ下《した》あらっといてくれ」

かおりにむかってくつ下がまるまって飛んできた。しかしつぎのしゅんかん、そのくつ下は西田《にしだ》先生の顔に、はりついて落ちた。

かおりは、うしろの出口から脱兎《だっと》のごとく駆《か》けさった。

校舎《こうしゃ》を出ると、まぶしい日射《ひざ》しがかおりに照りつけた。かおりは全身をその光で消毒されているような気分になりながら、水飲《みずの》み場《ば》にいった。そしてせっけんをつかむと、これ以上あらったら皮がむけるのではないかというくらい手をあらった。

(不潔《ふけつ》! 無神経《むしんけい》! スケベ! 冗談《じょうだん》じゃないわ、だれがハマグリのくつ下なんかあらってやるもんですか! 私をなんだと思ってるのよ)

ハマグリというのはいうまでもなく、六年三組の担任教師《たんにんきょうし》、西田安夫《にしだやすお》先生のことである。

ふつうたいがいのひとの鼻の下には、口にむかって浅い溝《みぞ》がはしっているが、西田先生の鼻の下には溝がない。そのうえ、綿《わた》でもふくんでいるかのように鼻の下が三角形にふくらんでいる。

去年、夏の臨海《りんかい》学校で潮干狩《しおひが》りをしたとき、アサリを梢《こずえ》が鼻の下にはさんでふたりをわらわせた。

「だれかににてると思わない――！」

「西田《にしだ》先生！」

菜々《なな》がこたえたとたん、三人はふきだした。

「あたりー、アサリって呼《よ》ぼうよ」

かおりが首をふった。

「だめだめ、アサリなんてかわいらしくないわよ。ハマグリよあれは」

それからひそかに三人は、西田先生をハマグリと呼んでいる。


かおりが水飲《みずの》み場《ば》でハンカチをだして手をふいていると、校庭《こうてい》のすみで菜々と梢《こずえ》がしゃがみこんでなにかしているのが目にはいった。かおりが近づいていくと、ふたりは、早くこいというように手をふった。

かおりがふたりの横にしゃがみこむと、梢がクスクスわらいながらいった。

「見ててごらん、馬の最後についてる木村《きむら》くんのズボン」

五メートルほどさきのいちょうの木のところで、三組の男子生徒が馬乗りをしているのだが、そのどんじりの馬が木村誠《きむらまこと》なのである。

「なによ、あれがどうかしたの？」

かおりがつまらなさそうにいうと、菜々《なな》が、誠のズボンのおしりを指さした。よく見ると、ブルーの半ズボンのおしりがすこし裂《さ》けかけている。もし馬がくずれれば、そのひょうしにズボンはみごと破れることはまちがいない。

「いやね、下品《げひん》ね、くだらないわよ」

かおりはそういいながらも、ふたりとおなじ姿勢《しせい》になり、誠のズボンを見まもった。

「ソレッ、くずれろ、ドシーン」

梢《こずえ》が声援《せいえん》をおくったのがきいたか、豆タンクの島崎勉《しまざきつとむ》の体重がものをいったのか、馬たちはもののみごとにペシャンコになり、誠はいちばんはでに前のめりにつぶれた。

そのしゅんかん、ビリッという音もろとも、誠のおしりはブルーとホワイトのツートンカラーに変わっていた。

「やった——！」

「おみごと！」

「かーわいい」

思わぬところを見られてろうばいする誠《まこと》をしりめに、三人は駆《か》けさった。

ベルが鳴って昼休みが終わり、三人は校舎《こうしゃ》にむかって、おしゃべりをしながら歩いていた。校舎のなかにはいろうとすると、横の水飲《みずの》み場《ば》から、せっけんの泡《あわ》が流れてくる。

ふと見ると、原田泰子《はらだやすこ》と河合《かわい》めぐみのふたりが反射的《はんしゃてき》に目をそらしたまま立っている。手には男物《おとこもの》のくつ下《した》がにぎられている。かおりの頭に血《ち》がのぼった。

(また、このばかたちが！　どういう神経《しんけい》してるのかしら、ごますり！)

「あーら、おせんたく？」

かおりのばかていねいな質問に、ふたりはすこしずつ手のなかにくつ下《した》をまるめこむようにしながらこたえた。

「ちょっとね」

かおりは、そのくつ下が西田《にしだ》先生のものであることをなかまのふたりにつたえた。

梢《こずえ》はそれをきくとにやりとわらい、ウインクをすると水飲み場のふたりのほうにむかった。菜々《なな》は反対に、泰子たちとは向かいあわせになったじゃぐちのところへいくと、それを上向きにした。

梢《こずえ》がふたりのあいだにわりこむようにしてはいると、菜々《なな》がふたりにむけて、水がかかるようじゃぐちをおさえた。

シャーッという音とともに、水しぶきがいきおいよくふたりにかかったところを、梢がくつ下をうばいとった。そして、ふたりがキャーキャー悲鳴《ひめい》をあげるなか、梢はかおりにくつ下をほうってよこした。

かおりは、両手をうしろで組むとそれをうけとりもせず、水たまりのなかに落ちるままにした。

それから、ゆっくりそれをつまみだすと、かおりは水びたしのふたりの前にくつ下をおいた。梢がうしろではやしたてた。

「せんたくねえや、お仕事よー!」

「いいつけてやるから!」

「どうぞ、いつものことだもんね」

「キンギョのフン」

「ごますり!」

三人は思いきり舌《した》をだすと、ふたりを残してその場から消えた。

五時間目、三人のすがたは教室のなかに見あたらなかった。

三人はならんでプールにめんした廊下《ろうか》に立たされていた。立たされながら、三人はおたがいにひじでつつきあい、さっきのことを思いだしてクスクスわらいつづけていた。

プールの水面が光っている。春のまっさかり、気の早い夏の太陽が、やっぱり三人とおなじくさざ波に照りかえりながらクスクスわらっていた。

次の日の金曜日。

菜々《なな》は、六班《はん》分のグループノートをかかえて職員室《しょくいんしつ》にむかっていた。毎日、班員《はんいん》のひとりがこのノートを家に持って帰り、その日のことや、いろいろな気持ちを書いて先生に提出《ていしゅつ》するのである。

その日の西田《にしだ》先生の机《つくえ》は、いつにもましてごったがえしており、ノートをおくあきもないほどだった。

どうしようかと目をくばると、きょうかあしたにでもくばるのではないかと思われる、父母会《ふぼかい》のお知らせの手紙がのっていた。菜々《なな》はしかたなくその手紙をとり、そこにノートをおくことにした。

「あっ!」

菜々は、ちょっとおどろいた。思いもかけず、手紙の下に外人のヌードのピンナップがかくしてあったのだ。

西田《にしだ》先生がいやらしいことは体重測定《たいじゅうそくてい》のとき、わざわざ保健室《ほけんしつ》でタバコをふかして女子生徒をちらちら見ることとや、とくにかおりを気にしていることで知ってはいたが、まさかここまでとは思わなかった。

一瞬《いっしゅん》ひるんだ菜々の顔が、つぎのしゅんかん、い、い、いみしんにゆがんだ。

そして、そのピンナップを二つ折りにすると、教室へもどっていった。父母会は、来週の土曜日にあると書いてある。

菜々はひとりでわらいながら、目のまえをとおりすぎた津田信也《つだしんや》を呼《よ》びとめた。話をきいた信也は、おおよろこびで木村誠《きむらまこと》を呼びとめた。誠は手を打ってはしゃぎ、たまたまとおりかかった田沢作郎《たざわさくろう》をひきずりこんだ。作郎は無表情だったが、きらっと目を光らせうなずいた。

そして、八日後の土曜日、父母会《ふぼかい》の当日がやってきた。

廊下《ろうか》をすごいいきおいで走りすぎる信也《しんや》を一声どなって、西田《にしだ》先生は教室にはいっていった。待ちうけていたお母さんがたが、それぞれに目礼《もくれい》をすると、西田先生は緊《きん》張《ちょう》したおももちでおもおもしく会釈《えしゃく》をした。

「では……、いよいよ六年生になったわけですが、新学期最初の父母会では……？」

西田先生は、教卓《きょうたく》の前で話をはじめたのだが、お母さんがたの視線《しせん》は、西田先生をとおりこして、うしろの黒板にそそがれている。不審《ふしん》に思った西田先生がふりむくと、スライド用のスクリーンがおりていた。

「いや、まったく、しょうがないなあ」

西田先生は、いつもとちがう白いハンカチをだし、ひたいをぬぐうと、スクリーンのかけ金《がね》をはずした。スクリーンはかけ金をはずすと、黒板の上にくるくると巻きとられる仕掛《しか》けになっている。

スルスルスル――

西田《にしだ》先生は、話を本題《ほんだい》にもどした。

「さて、新学期最初の父母会《ふぼかい》では……！！」

そのあとは、たいへんな騒《さわ》ぎだった。

アラッ、マアッ、息をのんだまま呼吸《こきゅう》をしなくなったお母さんや、ハンカチで口をおさえるお母さん、下をむいたきりうごかなくなったお母さんがたの前で、西田先生は黒板にはられたヌードの金髪美人《きんぱつびじん》を背《せ》なかにしたまま、呆然《ぼうぜん》と立ちつくしていた。

西田先生、わすれものです。（黒板にかいてあった言葉）

3　報復《ほうふく》にこたえる三人の計画

「桜《さくら》ももう終わりねえ」

次の週の土曜日の帰り道、桜並木《さくらなみき》の土手を三人で歩きながら菜々《なな》がポツリとつぶやいた。そのあと、そのつぶやきはだれにもうけとめられないまま、春の空にきえていった。

なんとなくはなれがたくて三人は菜々の家の近くまできてしまったのに、それぞれにうわの空だった。

ふと気がつくと、菜々の足もとに梢《こずえ》がうずくまっている。びっくりして菜々がかがむと梢はピョンととんで、いつものようにまるい顔でわらってみせた。でも、そのくちびるはおどろくほど白かった。

「梢どうしたの？　どっかいたい？」

「なにが？」

「なにがって、いましゃがんでたから」

「ちょっと苦しくなっただけだって」

「でもー、ずっとゆっくり歩いてただけなのに」

「かおりー！」

梢《こずえ》は、菜々《なな》の話をきこえないようなふりをして、ひとりでさきを歩いているかおりを呼《よ》んだ。

もどってくるかおりを見て、梢が菜々に笑顔《えがお》でふりむいた。にっこりわらった梢のくちびるに、いつのまにか赤味《あかみ》がもどっていた。

菜々は、梢がふつうになったようすを見て、自分の思いすごしだったのかもしれないと思った。だいいち、梢のことを心配する前に、自分のことを心配しなくてはならないのだ。

きょうの帰りのホームルームで、西田《にしだ》先生が春の小運動会の話をはじめた。菜々は他人事《たにんごと》のように机《つくえ》にマンガを描《か》いていた。

するとなにか、教室がざわめきだした。顔をあげると、黒板に西田先生が選手を書きだしている。リレーだな、と思って目で追うと、津田《つだ》、木村《きむら》、高木《たかぎ》、中川《なかがわ》と男子の名があり、汐沢《しおさわ》、本居《もとい》と、たのもしき友人の名がならんでいる。

いつものメンバーじゃないと思ってさきを見ると、横山《よこやま》、川辺《かわべ》となっていた。わが目をうたがった。川辺とは菜々《なな》のことではないか！

（そんな、うそだあ）

菜々は、いきおいこんで手をあげた。

「なんだ、川辺」

「西田《にしだ》先生、ちがってるみたいです。女子の選手のなかに私の名がはいってるんです。村井《むらい》さんのまちがいだと思うんですけど」

西田先生はフンと鼻でわらった。

「まちがっとらんよ。村井《むらい》は盲腸《もうちょう》で手術《しゅじゅつ》したばかりだ、走れるわけがないだろう」

教室がまたざわめいた。クラス一、足の速い津田信也《つだしんや》がふてくされている。

「川辺なんか走らしたら、負けちまうよ」

菜々は、無神経《むしんけい》な信也のせりふにむっときたが、ほんとうのことだからしかたがない。

（私がコースに立ったりしたら……）

そう思ったとき、木村誠《きむらまこと》が大声をだした。

「最後まで力走《りきそう》する、六年生に拍手《はくしゅ》をおくりましょう」

教室じゅうが、どっとわいた。

菜々《なな》にとって、その言葉にはにがにがしい思い出がある。

小学校一年生の運動会、一年生の菜々はやっぱり大きくて、いちばん最後の列にならんでいた。

見たこともない応援《おうえん》の大きな紅白《こうはく》の旗《はた》がふられている。せわしなく追いたてるような音楽が校庭《こうてい》じゅうに鳴りひびき、目の前の列が一列ずつ、ピストルのバンという音とともに、おもちゃみたいに走りだす。

バン　バン　バン！

気がついたら、菜々の前にはだれもいなくなり、白い線がはるか遠くまでのびていた。

どこかで笑《わら》い声《ごえ》がおこった。菜々はもしかして自分のことをわらっているのかもしれないと思った。スタートラインにならんだ女の子は全員、菜々より十センチは小さかった。それなのにいちばん大きな菜々《なな》がビリなんて！　菜々はなんだか泣《な》きたくなってしまった。

「菜々ー！　しっかりー！」

お母さんが、父母席の最前列で手をふっている。そのうしろで、首ひとつ分みんなよりもとびだしたお父さんが、むっとだまって菜々を見ていた。

菜々の顔に笑顔《えがお》がうかび、手をふりかえそうとしたら、バン！　まわりの女の子がいっせいに菜々をおいてとびだした。

あわてて菜々もとびだそうとしたら、前の子のひじが横腹《よこばら》にあたった。いたいっと思ったら、足がもつれて、横転《おうてん》。立ちあがったときには、みんなもうはるか遠くを走っていたのだ。

横を見たら、先生が走れという。しかたなく走った。ひざのあたりから血《ち》が出ているみたいな気がした。朝、お母さんのいうことをきかずにはいてきたくつ下の赤いボンボンは、きっとちぎれたにちがいない。涙《なみだ》がにじんだ。

そのとき、放送席《ほうそうせき》から音楽にかさねて場内アナウンスが流れた。

「かわいい一年生の徒競走《ときょうそう》です。最後まで力走《りきそう》する一年生に拍手《はくしゅ》をおくりましょう」

校庭《こうてい》じゅうに笑《わら》いと拍手《はくしゅ》がひびきわたる。

まわりを見て拍手をしようかとまよっていたお母さんの手を、お父さんがしぶい顔でおろさせた。

空で校旗《こうき》がひるがえる。菜々《なな》は走りながら、あのてっぺんのまるい玉を、いま放送した上級生にぶつけてやりたいと思った。白い線は菜々の目のなかで何十本にもふえ、校舎《こうしゃ》までがわらっている気がした。

かおりも梢《こずえ》も、なにか思いあたるふしがあったというふうに片目をつぶったり、鼻に縦《たて》じわをよせたりして、菜々に合図していた。とうぜん、菜々にもピンときた。西田《にしだ》先生の報復《ほうふく》である。あのヌード写真の一件《いっけん》にちがいない。西田先生は、先週、父母の面前《めんぜん》で、自分に手ひどい恥《はじ》をかかせたぶん、学校じゅうの生徒の前で菜々に恥をかかせようというつもりらしい。

「あーあ、リレーどうしよう」

菜々は、これ以上ゆううつなことはないというような声でいった。

「でもさ、あんときだってずるいよね。津田《つだ》くんや木村《きむら》くん、作郎《さくろう》だって、たいしておこられなくってさ、菜々《なな》ばっかのせいにされたじゃん」

「いつものことよ。女のくせになんたるしわざ」

「まいっちゃうなあ、もう。こういうのってないよねえ。運動会つからなんて、すこしひどすぎると思わない?」

今回も、もちろんのことだけれど、この三人は、いくらほかの子と共謀《きょうぼう》していたずらをしてもわりをくっておこられる。それに慣《な》れて、クラスメートも平気で三人のせいにするようになってしまった。

「やったやつ! 立て!」

青《あお》すじをたててさけぶ西田《にしだ》先生の前に立ったのは、菜々と作郎《さくろう》だけだった。信也《しんや》と誠《まこと》はとうとうとぼけとおした。

菜々は去年《きょねん》、おこられながら共犯者《きょうはんしゃ》をいったとき、「そういうけちな根性《こんじょう》を持つやつは、いたずらをするんじゃない」といって、よけいおこられた。それからというもの、くやしいから告げ口《つぐち》はぜったいしないことにしたのだ。けちな根性なんていわれるくらいなら、五人分まとめてなぐられるほうがましである。

「でも、菜々《なな》……あのときの作郎《さくろう》くん、ちょっとようすがおかしいって、私かんじたわね」

かおりはそういいながら、にやついている梢《こずえ》をひじでつついた。菜々はわざと無表情をよそおってこたえた。

「なーにが、なんにもおかしいことないんじゃないの。いっしょにやったなかまだもん」

「とぼけちゃってさ！　顔が赤いよ菜々」

ふたりは、いみしんにネッネッといっては、うなずきあってわらっている。

「やっぱり、あのうわさはほんとうだったっていうわけね」

「好《す》きです。菜々さん」

声色《こわいろ》をつかってのぞきこんだ梢の背《せ》なかを、菜々は思いきりたたいた。

「もう！　そんなことばっかいって！　こっちの身になって考えてよ。リレーどうしたらいいの」

菜々の訴《うった》えに、ふたりは急にはしゃぐのをやめた。

しばらくしてから、かおりが足もとのタンポポをつまさきでつつきながら考えこむようにいった。

「みんなもかなりショックうけてたみたい」

「そりゃあね、うちのクラス、リレーだけが自信ある種目《しゅもく》だもん。それに私がはいってきいたら、がっかりするでしょ」

「高木《たかぎ》くんなんか、選手は生徒にえらばせるべきだって、めずらしくハマグリに反発《はんぱつ》してたじゃん」

「でも、もうすこしはっきり、あの場でいってくれればいいのに、そこまではしないんだもんね」

菜々《なな》は、不満げにつぶやいた。

「まあね、ハマグリは強硬《きょうこう》だから、いちどいいだすとどうしようもないって、みんな思ってるのよ」

菜々は足もとの小石を蹴《け》りとばし、上水《じょうすい》の流れをのぞきこむようにした。

梢《こずえ》は土手の雑草《ざっそう》に、なんどもキックをくわえていた。

かおりはだまって、桜《さくら》の木の根もとにすわりこんで考えこんでいるようだったが、急にすっと立ちあがり、思いきったようにいった。

「考えこんだっておなじことよ。こうなったらやるしかないわ」

かおりの話に、菜々《なな》が目を大きく見ひらいた。かおりは菜々にむかって話をつづけた。

「いい、運動会まであと二週間ちょっとあるわ。あしたは日曜日だから、まず梢《こずえ》と私の走るフォームを見る。徹底的《てっていてき》にまねするのよ。速《はや》い遅《おそ》いっていうのは、半分フォームで決まるんだから」

梢はかおりを見て、なんどもうなずいていたが、菜々はなにをいわれても気がのらなかった。

二週間やそこいらで足が速くなるのなら、だれも苦労はしないのだ。ふたりの話に熱がはいるにしたがって、菜々の気持ちはしずんでいった。

「それ以後は、毎日、早朝マラソン。まあ二キロってとこかしらね」

「あたしたちも、せいぜいつきあうから、しっかりするんだよ」

ふたりの話をきいていると、菜々はかならず速くなると決めつけているようで、菜々はますます気がめいった。

「とにかく、走ること。走ることに慣《な》れることとフォームを完成させること。これさえうまくいけば菜々《なな》の馬力《ばりき》と足の長さですもの。楽勝《らくしょう》よ」

(あ——、これだもん)

菜々はみじめな気持ちでかおりの話をきいていた。期待《きたい》されれば期待されるほど、それにこたえられそうもない自分のすがたが目にうかぶ。人間にはどうしたって不得意《ふとくい》で、どうにもならないことがひとつやふたつあるものだ。いまくらい西田《にしだ》先生をにくらしく思ったことはなかった。

しかし、菜々の気持ちをよそにトレーニングは開始《かいし》された。ジョギングパンツとトレーナーで身をかためた三人が自転車にまたがり、白いソックスをきらきらさせて、養老院前広場《ようろういんまえひろば》に集合した。

「いい、手の振《ふ》りがとっても重要なの。こういうふうに。そう、わきをあけないで、シュッシュッて、うん。そんなかんじ」

菜々はかおりのいうとおりにからだをうごかした。梢《こずえ》がその場でもも上げをしながら、かおりにいった。

「じゃ、そろそろふたりで走ってみせよっか」

かおりはうなずくと、さっとその場にスニーカーのさきで線をひいた。

「ゴールはあのタイサンボクね」

菜々《なな》は、スタートラインの延長上に立ち、号令《ごうれい》をかけた。

「ヨーイ」

ふたりの目がまっすぐ前を見つめ、きらりと光った。十本の指に体重がのり、形のいいおしりが宙《ちゅう》にういた。

「ゴー!」

白い砂《すな》ぼこりが舞《ま》いあがる。キンポウゲのむこうで、部屋着《へやぎ》すがたのおじいさんが立ちどまった。

ふたりのすがたはみごとだった。ふたりの歩幅《ほはば》は一定をたもち、地面を蹴《け》るようにしてすぐはなれる。規則《きそく》正しくふられる腕《うで》は、風のなかを飛ぶようだった。フォームはかおりのほうが美しかったが、梢《こずえ》の走りかたには、ひっしのような力があった。わずかに梢のほうが、さきにゴールへとびこんだ。

走るすがたのなかにも、やっぱりかおりや梢がいる。菜々はそう感じるとともに、自分の走るすがたを想像して、またすっかり元気をなくしてしまった。

「どう？　なんとなくわかったよね！」

息をきらしながら梢《こずえ》がもどってきた。

「そんなすぐ、わかるわけないじゃない」

菜々《なな》は、さも楽しそうに走る梢の態度に、ほおをふくらませた。それから、足もとにあった石ころを西田《にしだ》先生だと思って、思いきり蹴《け》とばした。

しかし、菜々の気持ちはまったく無視《むし》され、かおりの指導《しどう》と梢の体力によってその日のトレーニングは進んでいった。

かおりの合図で、菜々と梢はとびだし、泰山木《たいさんぼく》のゴールにつくと、すぐにスタートラインにとってかえし、土煙《つちけむり》をあげる。梢はなんど走ってもつかれないようだった。

菜々もふたりの熱心さにうたれ、くたくたになるまで走った。

だが、努力がすべて良い結果に結びつくとはかぎらない。学校の裏《うら》の神社の森にカラスが帰っていくころになると、しだいにかおりの表情はくもりはじめ、梢の顔から生気《せいき》がうしなわれていった。

アホ――

カラスが空を飛んでいく。

「ごめんね……」

ふたりの想像をこえて、菜々《なな》の足はおそかったのだ。菜々はふたりの落胆《らくたん》がいたいほどよくわかった。かおりは菜々の気持ちをさとってか、わざと明るい声をだした。

「なにあやまってんの？　すぐ弱気《よわき》になるんだから、勝負はこれからじゃない、ねえ梢《こずえ》」

「うん……」

おせじのいえない梢にとって、そのこたえはせいいっぱいの思いやりだった。

そのあと三人は、なんとなくつらい感じで、それぞれの家に帰っていった。


よく日《じつ》の月曜、養老院前広場《ようろういんまえひろば》からの二キロコースを三人は走った。

この養老院前広場は、この地域《ちいき》の高台にあり、ちょうど三人の家の中心地点にあたる。広場のむかいの道をはいると、ちょっと豪華《ごうか》な門がまえの家が建ちならび、その角から二番目の広い庭の見えるのが、かおりの家である。

反対に、広場を南につっきり、上水の橋をわたると神社の森がひろがり、その裏手《うらて》に森《もり》の下《した》小学校がある。

そして、その橋をわたらず、上水沿《ぞ》いに土手を西へ歩くと、右手に私営《しえい》のグラウンドがひろがり左手には住宅街《じゅうたくがい》がつづく。その住宅街の上水側五軒目《けんめ》が菜々《なな》の家。

また、広場を北へ駅の方向にくだっていくと、さまざまな色合いの商店街《しょうてんがい》がひろがっている。その商店街の裏手《うらて》の鉢《はち》植えのどっさりおいてあるのが、梢《こずえ》の家なのである。

そして、三人がえらんだこのコースは、残りのもういっぽう、東へくだった線路沿《せんろぞ》いの団地方面だった。この団地と線路のあいだの柳《やなぎ》の植えこまれた白い道は、となりの駅につながり、団地の中央の道へとぬけるという、うってつけのマラソンコースなのである。

火曜日、そして水曜日と三人は、朝露《あさつゆ》に光る線路沿いの雑草《ざっそう》を横目に、白く規則的《きそくてき》につづく窓《まど》の下を走りつづけた。

そして水曜日の練習後、息《いき》のあらい三人がヘタリと広場にすわりこむと同時に、菜々がつぶやいた。

「もういいよ。私、だめだもん」

かおりがきっと菜々を見ると、早口でいった。

「なにいってんの！　あきらめが早すぎるわよ」

菜々《なな》はふたりを見ると首をふった。

「かおり、梢《こずえ》、どうもありがと。でも私、マラソンしたくらいじゃ、足、速くなんないもん」

ふたりとも、三日前とはちがってほんとうのところ、菜々とおなじ気持ちだった。

「きょうさ、西田《にしだ》先生にたのみこんで、ほかのひとにかえてもらおうと思ってるの」

しかし、菜々がそういうと梢ははげしく首をふった。

「だめ！　ぜったいいやだよ、あたし」

「私もいや！　だれがハマグリになんか頭さげるもんですか！　いやよ、ぜったいいや」

菜々はとほうにくれてしまった。

「じゃあ、どうしたらいいの？　全校生徒《ぜんこうせいと》のまえで恥《はじ》をかくのなんて、やだもん私。それだって西田先生の思うとおりになることなんだしさあ、私そのほうがやっぱりやだなあ」

梢が、骨太《ほねぶと》の腕《うで》で地面をたたいた。

「あー、しゃくにさわる！」

かおりはだまって、ならんだ三台の自転車を見ていたが、ゆっくりふりむくと菜々《なな》と梢《こずえ》をはんはんに見ながら、話をはじめた。

「あのね、すごくこれは確率《かくりつ》もうすいし、バレたらよけいまずいことになるけど……」

菜々と梢は身をのりだした。

「去年《きょねん》のクリスマス前に高速道路建築用地《こうそくどうろけんちくようち》として、校庭がななめにけずられたでしょ。だからたぶん、今年はいままでどおりに運動会のトラックをひくことはできないわ。そのぶんすこし、どちらかに移動することになると思うの」

ふたりはかおりの話にひきこまれていた。

「私の考えだと移動可能な方法は、ひとつしかないと思うの。校庭はそう広くないから、前後は無理《むり》だし、たぶん平行移動しておくの体育倉庫《たいいくそうこ》近くにずれるわ」

「でも、倉庫前にはバスケットとサッカーの移動《いどう》ゴールがおいてあるもんねえ」

菜々が不審《ふしん》な顔つきでつぶやいた。

「そう、それがつけ目なのよ。あのゴールをかたづけられる場所は、ほかに校庭のどこをさがしてもないわよね。だから、トラックの内側《うちがわ》におくことになるにちがいないのよ。つまり、あのコーナーはどこからも見えにくいというわけ」

「わかった！」梢《こずえ》が興奮《こうふん》してさけんだ。

「あそこを菜々《なな》が走るとき、だれかがかわりに走るんだ。見た目からいうと……あたしかな？」

「正解《せいかい》」かおりは無表情のまま言葉をつづけた。

「でも、問題があるのよ。菜々の走る順と梢の順番が近いのよ。でも、梢を女子のアンカーからはずすわけにもいかないし、そうなると、菜々、中川《なかがわ》くん、梢でしょ。梢はほとんど走りづめになっちゃうのよね」

梢は、たからかにわらった。

「なーに、軽い軽い。区大会で一位の梢さんにまかしなって」

菜々は感きわまって、ふたりの首にかじりついた。

「スゴイ！　ありがと、ほんとにありがと！」

それから、かおりはその場にしゃがみこむと石をつかみ、土の上にトラックの図をかいて説明した。

「当日《とうじつ》、菜々《なな》は高木《たかぎ》くんからバトンをうけとったら、ゴールのかげまで走る。梢《こずえ》はいつもの運動会どおり、コーナーにじっとしていないで、声援《せいえん》をかけながら菜々よりさきにサッカーゴールのところへ移動するのよ。いつもみんなこのへんは夢中《むちゅう》になってもりあがっているから、しぜんに見えると思うわ。そしてゴールのなかにまぎれこんだら、菜々が走ってきたところをいれかわるの、リードのとき中川《なかがわ》くんはくせでうしろをむかないから、バトンタッチは平気だと思う。みんなの目は、そうね、応援《おうえん》の子にうまいことたのんで絶叫《ぜっきょう》してもらって、そっちに気をそらすことにすればいいわ」

三人は、計画をねりながらワクワクドキドキのしどおしだった。スリルとサスペンス、失敗と成功は紙一重《かみひとえ》、この感覚がたまらない。

「でも、ヘヤースタイルとスタートダッシュだけはなんとかしないとだめよ」

かおりの最後のひとことに、菜々は力強くうなずいた。

そこまで話がすすんだところで、となりの駅の教会から七時半を知らせる鐘《かね》がきこえてきた。

「合い言葉は、驚異《きょうい》のリレー」

「打倒《だとう》、西田《にしだ》！　エイ、エイ、オー！」

かおりの言葉に、三人は声をそろえ、勝ちどきをあげながら、養老院前広場《ようろういんまえひろば》から消えていった。

この合い言葉というのは、べつだん合い言葉でもないのだけれど、かおりのえらく気にいっている本のなかに出てくる言葉で、『合い言葉エーミール』といって、少年たちが事件《じけん》を解決《かいけつ》するのである。それからというもの、かおりは、なにかにつけて三人の結束《けっそく》を表現《ひょうげん》したいとき、「合い言葉――」というようになり、菜々《なな》も梢《こずえ》も、つられてつかっていた。

その朝、菜々は正門をはいったとたん西田《にしだ》先生とばったり出会ってしまった。菜々の頭には早朝のかおりの計画があったので、つい、西田先生の顔を見たとたんふきだしてしまった。

「なにがおかしい」

「すみません」

「すみませんじゃないだろう、なにがおかしいのかきいてるんだ」

西田《にしだ》先生は、自分でも外見《がいけん》に自信がないらしく、神経質《しんけいしつ》なほどその点でわらわれたりすることをきらっていた。

菜々《なな》が口ごもっているところへ、一組の小川《おがわ》先生がとおりかかった。

「どうしましたの？　西田先生。あら川辺《かわべ》さん。朝から、またなにかやったのね」

「いや、まあ、なんですよ……」

西田先生は、いままでとはうってかわり、声色《こわいろ》まで一オクターブあげて、こんどは菜々をかばうかのような演技《えんぎ》をはじめた。

西田先生は職員室《しょくいんしつ》や、父母《ふぼ》のまえではさも、理解《りかい》のある青春ドラマの先生のような芝居《しばい》をうつのである。それがまたうまく、教頭《きょうとう》の吉沢《よしざわ》先生などは、西田先生に絶大《ぜつだい》なる信頼《しんらい》をおいているらしい。

菜々はプッとほおをふくらませると、ふたりの前をよこぎって、校舎《こうしゃ》にはいった。

「西田先生もたいへんですわね」

「いや、あれでいいところもあるんですよ」

菜々がこの会話をきいていたら、西田先生に石でも投げていたところだったろう。

口をとがらしながら、菜々《なな》が教室の戸をあけると、かおりと梢《こずえ》がリレーのメンバーと集まっていた。そして菜々のすがたを見るなり、梢がとんできた。

「おはよっ。いまさあ、けさの続き話してたんだ。やっぱりリレーのメンバーには協力してもらうために話すことにしたよ」

ふたりのところへ興奮《こうふん》したようすのメンバーたちがやってきた。

「川辺《かわべ》、おもしれえことになったな。おれ、ワクワクしちゃうよ。がんばろうぜ」

津田信也《つだしんや》は、菜々の肩《かた》をたたいた。

「なんか、スパイ大作戦みたいね」

横山弘子《よこやまひろこ》は、ほおまで染《そ》めて協力をちかった。

菜々もかおりも梢も、ここまでみんなが協力的とは思わなかったので大感激《だいかんげき》だった。そうして教室のすみで八人のかたい握手《あくしゅ》がとりかわされたそのとき、ガラガラッとあらあらしく教室の戸がひらいた。

八人は四方へはじけとび、着席した。興奮した菜々の顔を、西田《にしだ》先生ははいってくるなりちらっとにらんでいたが、菜々は知らないふりをした。

その日の午前ちゅうはなにごともなく過ぎ、昼休みにはリレーのメンバー以外の協力者として、六年三組応援団長《おうえんだんちょう》の島崎勉《しまざきつとむ》、口のかたいことで定評《ていひょう》のある田沢作郎《たざわさくろう》、この二名が八人の協議《きょうぎ》のすええらばれ、計画にくわわることとなった。

勉は、菜々《なな》と梢《こずえ》のいれかわるしゅんかんに大声をだして、みんなの注目《ちゅうもく》をそらす役《やく》わりがあたえられたが、とてもひとりでは無理《むり》だという勉の意見により、他六名の応援団員《おうえんだんいん》がさらにくわわった。

そして作郎には、おしゃべりの勉や誠《まこと》が口をすべらさないよう運動会まで見はると同時にクラス内の反応《はんのう》や変化にも気をくばる役わりをあたえられた。

こうして計十六名。クラスの約三分の一の頭数《あたまかず》により、替《か》え玉作戦《だまさくせん》は実行されることとなったが、十六名のどの口からも出る要注意事項《ようちゅういじこう》は、原田泰子《はらだやすこ》、河合《かわい》めぐみのふたりのことであった。

その後、うきたつみんなの気持ちは五時間目の道徳《どうとく》の時間までもつづいていた。

作文を書くこともそっちのけで、教室じゅうはけしゴムのかすやら、紙玉《かみだま》がとびかい、伝言《でんごん》があちらこちらでかわされている。それにはんし、西田《にしだ》先生はめずらしくぼんやりと、窓《まど》のところでひじ枕《まくら》をついていた。

そのうち西田先生は、近くにいた作郎に教卓《きょうたく》の引《ひ》き出《だ》しからタバコをとってくるいった。

ようにいいつけた。作郎《さくろう》がだまってうごかないでいると、さっと泰子《やすこ》が立ちあがった。

泰子は引き出しからタバコをとりだすと、西田《にしだ》先生のところへいそいそと、持っていった。

「先生」

泰子は、えくぼのできるほおをよけいへっこませるような笑顔《えがお》をつくり、タバコをさしだした。梢《こずえ》がフンと鼻を鳴らした。

「ホステスみたい」

梢はわざと、泰子にきこえるようにいった。

泰子の顔は、たちまちまっ赤になり、西田先生は立ちあがった。そして、なにをまちがえたか、梢と菜々《なな》をとりちがえてさけんだ。

「なにをいうか！　おまえこそホステスみたいな名前だろう。え、ナナ！」

菜々は、その日の作文のテーマ〝命について〟のことを考えていたので、いっしゅんなにをいわれたのか見当もつかなかった。

クラスのみんなも、見当違《けんとうちが》いなおこりかたに、わらう者もなかった。

「先生はそういうところに、よくいくわけですね」

かおりが、イヤミたっぷりにボソリというと、西田《にしだ》先生も自分のかんちがいに気づき、すこしあわてはじめた。そしてかおりの言葉を無視《むし》するように、わざとわらってみせた。

菜々《なな》は話の内容がわかったとたん、怒《いか》りがからだじゅうにこみあげ、涙《なみだ》があふれそうになった。

水産試験場《すいさんしけんじょう》に勤《つと》める菜々の父は、結婚《けっこん》二年目で借金をしながらも、緑のおおいこの地区に一戸建《こだ》ての家を持つことができた。

菜々の両親がやっとその家に慣《な》れたころ、母のお腹《なか》に赤ちゃんがいることがわかった。感情《かんじょう》をあまりださない父も、さすがにそのときは、うれしさをかくしきれず、笑顔《えがお》でそうか、そうか、といってうなずいていたという。

そして、期待《きたい》どおりりっぱな赤ちゃんが生まれたが、それは父の予想にはんして女の子だった。男の子の名前しか考えていなかった父は、母が退院《たいいん》する日になっても、女の子の名前がうかばず、とうとうその女の赤ちゃんは名前の決まらないまま家へむかった。

タクシーの窓《まど》からは、四月の陽《ひ》がさしこみ、春の畑には菜《な》の花《はな》が咲《さ》きみだれている。

初めて父、母となったふたりには、まるでそれがわが子を祝福《しゅくふく》しているようにうつった。ふたりは、なんの迷《まよ》いもなく、その子に「菜々《なな》」と名付けたのだそうである。

その話を母にきいたときから、菜々は自分の名前を呼《よ》ばれるたびに、それは小さな黄色い花が揺《ゆ》れる春の音のような気がして、心がときめいた。

頭の上を紙切れが飛んで机《つくえ》の上に落ちた。菜々が涙《なみだ》をふいてそれをひらくと、かおりの字だった。

〝合い言葉は、驚異《きょうい》のリレー〟

菜々がかおりのほうを見ると、かおりが力強くうなずいていた。梢《こずえ》を見るとひたいの前に片手をたてて、しきりにあやまるしぐさをしている。菜々が許すというふうに、ほほえむと、すぐさま梢は笑顔満面《えがおまんめん》となり、けろりとしてV《ブイ》サインをだした。

帰り道、梢がおばさんの焼いたケーキをごちそうするとさそってくれたが、かおりは用事があるといったし、菜々もなんとなくまっすぐ家に帰りたかった。さっき、だまってすました自分にこだわっていたのだ。やっぱり、父と母、そして自分の名誉《めいよ》のために戦うべきだったと後悔《こうかい》していた。

きょうは、はじめて家庭教師《かていきょうし》のくる日だった。かおりが玄関《げんかん》にはいると、見知らぬ革《かわ》ぐつがあり、お手伝いのサエさんが、二階《かい》の客間《きゃくま》を指さした。

「いらしてますよ。洋子《ようこ》さんがお相手してますから、早くいってください」

かおりはだまってうなずいた。

ダイニングルームにカバンをおきにいくと、ひさしぶりに帰ってきた父が熱帯魚《ねったいぎょ》にえさをやっていた。かおりの父は、貿易会社《ぼうえきがいしゃ》の社長で、一年のうち半分は家にいない。かおりもそれに慣《な》れて、いまでは父と会ってもお客さんと会っているような気持ちになってしまう。

「やあ、元気かい。おみやげがあるよ」

「お父さまお帰りなさい。ちょっと用があるので、失礼します」

かおりは、父の顔をちゃんと見もせず、二階《かい》へ駆《か》けあげると、客間《きゃくま》のドアをノックした。

「かおりです」

「おはいりなさい」

返事がして、部屋《へや》のなかにはいると、黒いセーターに黒いスボンをはいた細身《ほそみ》の男のひとがソファにすわっていた。めがねをかけた小男《こおとこ》を想像していたかおりだったので、ずいぶんとイメージがちがってしまった。

かおりは、まだ菜々《なな》にも梢《こずえ》にも話せないでいるのだけれど、家族の勧《すす》めで私立《しりつ》の中学を受験《じゆけん》することになっている。

かおりの家では、代々《だいだい》、女の子はT《ティー》女子大へ入学することが決まりごとのようになっていた。そのためには、中学校からそこの付属中学《ふぞくちゆうがく》へ入学するのが、いちばん良い進路《しんろ》ということになる。

その話が出たとき、かおりは、なんの反応《はんのう》も見せなかった。

(みんながそうしろっていうのなら、そうするわ)

そんな投げやりな気持ちだった。かおりがなにをいおうが、真剣《しんけん》に耳をかたむけてくれるひとはこの家にはいない。だから、反発《はんぱつ》するよりも無関心《むかんしん》でいるほうが、よっぽど寂《さび》しい思いもしないですむのだ。

しかし、いざ家庭《かてい》教師《きようし》をつけるだんになると、やはりかおりも無関心というわけにもいかなかった。どうして菜々たちとおなじ中学へ進ませてくれないのか、どうして付属中学へいかなければならないのか、きちんと説明してほしかった。

でも家に父はいつもいないし、母は病院、姉たちだってかおりにとりあってくれるようなひとはひとりもいない。そして、とうとうそのままきょうという日がきてしまったのである。

かおりはかんたんにあいさつをすると、向かいのソファに腰《こし》をおろし、自分の家庭《かてい》教師《きょうし》となるひとを観察《かんさつ》しはじめた。

姉の洋子《ようこ》の説明によると、このひとは小野博之《おのひろゆき》さんといって、K《ケイ》国立大学の四年に在学ちゅうだそうだ。ふだんは、線路沿《せんろぞ》いの団地の近所にある中学生対象《たいしょう》の塾《じゅく》、進学ゼミナールで数学を教えているらしい。かおりのすぐ上の兄の透《とおる》が、リエさんに早い夕食《ゆうしょく》を作ってもらいながらセミナーとか話していたのは、このことかと察《さつ》しがついた。

(まあまあね。背《せ》も高いし、ハンサムとはいえないけれど、気になるほどブ男でもないわ。でも、春なのに黒ずくめできちゃって……)

かおりがそこまで観察したとき、小野さんが口をひらいた。

「かおりちゃん、小野です。よろしく」

わらいかけた小野さんの目が、去年《きょねん》死んだコリーのイチの目によくにていた。

かおりは、急に赤くなった自分におどろき、反抗《はんこう》するように窓《まど》の外に目をむけると、ぶっきらぼうにこたえた。

「私、小学一年生じゃないんです。汐沢《しおさわ》と呼《よ》んでください」

「あ……」

小野《おの》さんはみるみる赤くなり、洋子《ようこ》はあわてて笑顔《えがお》をつくり、とりなした。

「まあ！　いやね。かおり、そういう言いかたは失礼《しつれい》でしょう」

そういいながら、洋子の手はすばやくかおりのももにのび、一生あとが残るのではないかと思うほどひどくつねった。かおりは思わずクッションに爪《つめ》をたてて悲鳴《ひめい》をどうにかのみこむことに成功した。

「いや、すみません。きょうぼく、ちょっとあがっちゃってて、家庭教師《かていきょうし》ってこれがはじめてなんです。そのうえ女の子だし……どうしたらいいのか……、いやあだいいち、かお……汐沢くんは小学生とは思えないくらい大きいですね。何センチあるの？」

「にめーとる、ろくじゅっせんち」

かおりは、からかうようにわざとゆっくりいった。

そして、のびてきた洋子《ようこ》の手をはらいのけた。なぜか、小野《おの》さんが話せば話すほど、顔を見れば見るほど、かおりのなかにえたいの知れないもやもやしたものがふくらんでくる。

「背《せ》ばかりのびても中味《なかみ》は子どもで、いろいろたいへんでしょうけれど、よろしくおねがいします。……キャッ」

洋子は話をしながら、かおりの足をテーブルの下で蹴《け》りそこない、ソファからころがった。小野さんは下をむいてごまかしたが、肩《かた》が揺《ゆ》れていたのでわらっているのがわかった。

洋子は、かおりとは母がちがい、十五歳《さい》年上の姉である。かおりを生んでからまもなく肝臓《かんぞう》の病気になった母にかわって、いろいろとめんどうを見てくれる。美人で頭のいいひとだけれど、どこかつめたく、どうもかおりとは気があわなかった。

サエさんが持ってきたケーキと紅茶《こうちゃ》を三人で食べ、すこし雑談《ざつだん》したあと、小野さんは帰っていった。

そのあとサエさんの手伝いで、お茶をさげに二階《かい》へ上がったかおりは、ふっと目をつぶった。客間《きゃくま》にいままでとちがう香りがほのかにただよっている。

無意識《むいしき》にかおりは、さっき小野《おの》さんがすわっていたソファに近づき、そっと手をのばした。つぎのしゅんかん、かおりはパッと目をひらくと我《われ》にかえり、いそいで手をひっこめ、無造作《むぞうさ》に三人分のお皿《さら》とティーカップをかたづけた。それから、なるべく小野さんのティーカップは見ないようにしながら、客間《きゃくま》から出ていった。

4 合い言葉は「驚異《きょうい》のリレー」

菜々《なな》がその日、目ざめると、時計の針《はり》は六時をさしていた。へんにくせがついたというのだろうか。かおりも梢《こずえ》もこないのに、トレーニングをうちきったあくる日も、またそのあくる日も、菜々は待ち合わせ場所にしていた養老院前広場《ようろういんまえひろば》にかよい、なんとなく走りつづけていた。

はじめは、スタートダッシュだけはかっこうがつくように、という至上命令《しじょうめいれい》のためと思っていた。しかし菜々はふたりのがっかりした目つきが、わすれられなかったのだ。自分であきらめるのはなんでもないことだったけれど、他人のふたりにあきらめられたということは、ほっとしたはんめん、やけにさみしくなさけなかった。べつにいまとなっては、目標も目的もないのだけれど、菜々は自分にもよくわからない気持ちにうごかされて走っていた。

そうして一週間がすぎるころ、駅ひとつむこうの教会までいって折《お》り返《かえ》してきても、時間的には、はじめのころとそうかわりないことに気がついた。

しんじられないことに足が速くなっている。かおりのいったことはうそではなかった。やればできるんだ、そんなささやきがきこえるような気がした。

菜々《なな》はほおを上気《じょうき》させ、いまさらだれにつたえることでもなかったけれど、いそいで学校に登校《とうこう》した。

トレーニングをするようになって、菜々はいろんなことを発見した。

朝の空気が、どこか高原の空気とにていること。朝日がのぼっていちばんに照らす窓《まど》がどこにあるかということ。教会まで走るようになってからは、教会のイチョウにシジュウカラが巣《す》をつくっているのも見つけた。菜々にとって、いつのまにか走ることは、ひとつの楽しみにかわっていたのである。

運動会の前日、予行練習《よこうれんしゅう》の日、菜々は髪《かみ》を切った。クラス全員の団結《だんけつ》のもとに、かおりの計画はしんじられないほどうまくいった。

「汐沢《しおさわ》のいったとおりじゃねーの。すげえなあ」

信也《しんや》がまいったというふうに、かおりを見あげた。

「西田《にしだ》先生、ポカンとしちゃってんの、私おかしくって」

広子《ひろこ》はうれしくてしかたないといったようすである。

「よっく考えたよな、替《か》え玉作戦《だまさくせん》。どうして思いついたわけ?」

誠《まこと》が感心しながらかおりにたずねた。

「そーねえ、どうしてって木村《きむら》くんとはここの出来《でき》がちがいますからね」

かおりが頭をつつきながらいうと、誠はチェッと舌《した》を鳴らした。

「汐沢《しおさわ》って、そういうことといわないといい感じなのに、それが女らしくないってんだよなあ」

興奮《こうふん》のさめないリレーのメンバーに手をふり、かおりはひとりで席へむかった。

(子どもなんて、相手にしないわ)

かおりは、小野《おの》さんの顔を思いだしていた。

小野さんが週に二回のわりで、かおりの勉強をみてくれることになってから、二週間がすぎた。はじめて会ったときのへんなぐあいのもやもやも、なんどかいっしょに勉強していくうちにそれほど気にならなくなった。

きょうの予行演習《よこうえんしゅう》のリレーの模様《もよう》などをおりまぜて話しながら算数の応用問題《おうようもんだい》を解《と》くかおりに、小野《おの》さんもおもしろがりながら、時間はすぎていく。

時計は八時四十五分をさし、小野さんは最後の問題の解説《かいせつ》を終えると、パタンと問題集をとじた。かおりは、このパタンという音がいつまでもしないといいと思うのだが、冷酷《れいこく》にも九時前になるとかならずこの音は、かおりの耳にとびこんでくる。

「さ、きょうはこのくらいでやめにしようか」

「……ええ」

「なにも心配ないな。汐沢《しおさわ》くんはかならずうかるよ」

「かならずなんていうと、だめだったとき、洋子《ようこ》お姉さまにひっかかれるわよ」

「ほんと……!?」

「さあね」

ふたりは声をそろえて軽くわらった。

そのあと、キッチンに小野さんが顔をだすと、めずらしく家族全員が集合していた。父、姉の洋子《ようこ》、幸子《さちこ》、冬美《ふゆみ》、美鈴《みすず》、兄の洋一《よういち》、透《とおる》が、いつもはからっぽのテーブルについて、あいさつする小野さんにいっせいにこたえた。小野さんはよっぽどおどろいたらしく、玄関《げんかん》でくつをはき終えるまで赤い顔をしていた。

「意外だったなあ、汐沢《しおさわ》くんのご家族はいまどきめずらしいくらい大家族なんだね。どうりで、大きい家のはずだ」

「半分ずつお母さまがちがうから、おどろくことないわよ」

かおりはいってしまってから、ちょっと後悔《こうかい》した。小野《おの》さんが下をむいてだまってしまったのだ。

「失礼《しつれい》、じゃこんどは木曜日だね、さよなら」

「さよなら」

かおりは、小野さんをおくりだした後、落ちこんだ気分で勉強机《べんきょうづくえ》をかたづけていた。

(ばかみたい、なんであんなことといったのかしら……)

問題集《もんだいしゅう》を手にとると、見なれない万年筆《まんねんひつ》がころがり落ちた。

(小野さんのだわ!)

かおりは瞬間的《しゅんかんてき》に万年筆をつかむと、いっきに階段《かいだん》を駆《か》けおりた。

玄関のサンダルに足をすべりこませたとき、かおりを呼《よ》ぶ声がしたけれど、きこえなかったふりをして外にとびだした。

養老院《ようろういん》の前の道をよこぎり、駅にむかう通《とお》りに出たとたん、ぼんやり歩いている小《お》野《の》さんのすがたが目にはいった。かおりは走るのをやめると、みだれた呼吸《こきゅう》をととのえた。

「小野さーん」

静かな住宅街《じゅうたくがい》の道路には車も人影《ひとかげ》もなく、かおりの声がやけにひびいた。

小野さんは肩《かた》ごしにふりかえり、かおりのすがたをみとめると、おどろいたように立ちどまった。

「どうしたの?」

「なにかわすれませんでした?」

「え?」

小野さんはまったく気づいているようすもなかった。かおりは小野さんの前に握《にぎ》りこぶしをさしだし、裏返《うらがえ》してゆっくりひらいて見せた。

「あれ――、しまったなあ。どーもありがと。最近ボケてるんだよね。とくに美人の前だとよけいひどくなるんだ」

かおりは、ふっと赤くなった自分に腹《はら》をたてた。

（なんだっていうのよ）

そのとき、曲《ま》がり角《かど》から急に車がとびだしてきた。

あやうく車はかおりにぶつかりそうになり、小野《おの》さんはとっさにかおりをひきよせた。小野さんのいつもおなじ黒いセーターが目の前にある。タバコのにおいかなんのにおいか、なつかしいようなふしぎなにおいがした。

肩《かた》にかけられた小野さんの手がはなれ、かおりははっと我《われ》にかえった。車は泣《な》くような警笛《けいてき》をちょっと鳴らして、そのまま走り去《さ》った。

「あぶなかったね」

心臓《しんぞう》が急に大きな音をたてはじめた。かおりは小野さんの言葉には返事《へんじ》もせず、くるりと向きをかえると、月影《つきかげ》のおちる住宅街《じゅうたくがい》の道をいちもくさんに駆《か》けだした。

「おーい、汐沢《しおさわ》くん。どうしたんだ——」

小野さんはかおりを追いかけてさけんだが、かおりがふりむかないのがわかると立ちどまった。

「万年筆《まんねんひつ》、ありがと——」

小野《おの》さんの声は、夜の住宅街にちょっとこだまして消えた。しかし、小野さんの声は消えても、かおりの胸《むね》の大音響《だいおんきょう》は、とうぶんやみそうもなかった。

運動会の朝も、菜々《なな》はいつもどおりトレーニングをおこない、替《か》え玉《だま》リレーのことにわくわくしながら、校門をくぐった。

そのとたん、信也《しんや》が血相《けっそう》をかえてとんできた。

「まいったぜ川辺《かわべ》！　大事件《だいじけん》！」

「なに？」

「なにじゃねえよ。トラックのなかからゴールがぜんぶ消えてるんだよ」

菜々の頭に血《ち》がかっとのぼり、さっとひいた。そんなばかな……。

「なんで？　どうしてなくなったの？」

「きのうの予行演習後《よこうえんしゅうご》、裏《うら》の原っぱへ先生たちが全員くりだしてはこんだんだってよ。どーするよ」

「どーするって、津田《つだ》くんどーしよう」

「おれ知らねえよ」

信也《しんや》はそっぽをむいた。

「ほら！　またそれだ。お得意《とくい》のとぼけ」

「なにを！」

「なによ！」

「だいたい、おまえがのろまだからいけないんだよ」

「なにさ、ひきょうもの！　どたんばになるといつもそうなんだから」

「グズ！」

「ノータリン！」

かおりが運動着を着て走ってきて、ふたりのあいだにわってはいった。

「まったく、すぐそれなんだから！　まるであなたたち、子どもみたい！」

かおりの言葉に菜々《なな》と信也は顔を見あわせた。

「だって、おれたち子どもじゃねえの？」

信也がそういうと、三人はちょっと考え、同時にふきだした。

けっきょく、なんの対策《たいさく》も見つからず、綱引《つなひ》きが終わり、フォークダンスが終わり、各学年の出しものや徒競走《ときょうそう》がつぎつぎにすんで、たちまちリレー、運動会のクライマックスとなってしまった。

「リレー選手の入場です」

場内《じょうない》アナウンスが鳴りひびいた。行進曲《こうしんきょく》が高くなり、選手団がトラックのなかに入場したきた。

かおりがいる、梢《こずえ》がいる、そして菜々《なな》もいる。六年三組の応援団《おうえんだん》は、団長の勉《つとむ》をはじめ、がっくり肩《かた》を落としたもの、やけくそで声援《せいえん》をおくるものと、事情が事情だけに、他のクラスとはようすがちがっていた。

行進ちゅう、菜々は職員席《しょくいんせき》の西田《にしだ》先生の顔を見たとたん、もしかして替《か》え玉作戦《だまさくせん》を知られたのではないかという気がした。西田先生はたしかにいま、菜々にむかってニヤリとわらったのだ。菜々がくやしさに思わずくちびるをかみしめると、となりで信也《しんや》がごねだした。

「おれ、優勝してえよ――」

梢が、手にしたバトンで信也の頭を思いきりはりとばし、かくれた。菜々もこうなれば度胸《どきょう》が決まった。

(やれるだけやろう)

各コーナーへの別れぎわ、かおりが菜々《なな》にささやいた。

「もう走るしかないわ。合い言葉は、手の振《ふ》り、前傾《ぜんけい》、つまさきよ」

菜々が深くうなずくと同時に、入場行進が終わり、教頭《きょうとう》の吉沢《よしざわ》先生がスタートのピストルを持って、スタートラインの横の台にのった。

スターターメンバーがコースにならんだ。長身のかおりは、はち巻《ま》きをむすびなおした。バトンは白。

「ヨーイ……」

バン！

白い砂煙《すなけむり》があがった。すごいいきおいでとびだした五人の女子生徒は、最初のカーブをまがるときに、ひとりころんだ。ひやっとしたが、かおりは予想どおり長い足で先頭《せんとう》を走っていた。

うまいリードで誠《まこと》はさらに差《さ》をつけて一位を守り、広子《ひろこ》にバトンはわたった。じりじりと二位の一組との差がちぢまりはじめた。

声援《せいえん》はさらにボリュームを上げ、放送曲《ほうそうきょく》をかきけした。応援席《おうえんせき》の生徒は立ちあがり、応援合戦《おうえんがっせん》もはじまった。菜々はきがきではない。

(おねがいっ! うんとはなして、差《さ》をつけて、どうか、神さま!)

知らず知らずのうちに手に力がはいって、にぎりしめた指のあいだが汗《あせ》ばんでくる。

慎二《しんじ》にバトンがわたり、またすこし差がついた。

いよいよ菜々《なな》の番である。だれもなにもいっていないのに、菜々には嘲笑《ちょうしょう》がきこえてくる。西田《にしだ》先生のふくみ笑《わら》いがきこえてくる。菜々は頭をはげしくふり、立ちあがった。三コーナーから梢《こずえ》が、一コーナーの菜々にさけんだ。

「合い言葉! 手の振《ふ》り、前傾《ぜんけい》、つまさき!」

菜々は、力強くうなずくと、いちばん内側《うちがわ》のコースをリードしはじめた。頭のなかで、手の振り、前傾、つまさきをくりかえすうちに、慎二のすがたが近づいてきた。助走《じょそう》がだんだん速くなり、慎二が倒《たお》れこむようにしてバトンを菜々に手わたした。

パシッという音とプラスチックの軽い感触《かんしょく》を手のなかに感じたとたん、菜々はまっすぐ白い線を見て、無我夢中《むがむちゅう》で走った。合い言葉もなにもなかった。ただ走った。

世界じゅうでいま走っているのは菜々しかいなくて、みんなが自分を見つめている気がした。中川和男《なかがわかずお》の手が見えた。菜々の名を呼《よ》ぶ声援《せいえん》がわきあがった。

「ナナ――！」

「いいぞっ、いいぞっ、カーワーベー――！」

「ガンバレ――ッ！」

横を見ると、梢《こずえ》がまっ赤な顔をして菜々《なな》といっしょに走っている。和男《かずお》の助走《じょそう》が速くなり、バトンは菜々の手から和男の手にわたり、すぐ目の前からなくなると、菜々は力つき、コースのなかにすべりこんでころがった。

何人かの選手が菜々をトラックの内側《うちがわ》にひきずりだすなか、梢が涙《なみだ》ぐむようにして菜々の頭や肩《かた》をたたき、

「速《はや》かったよ。すごかったよ。差がちぢまんなかったよ。びっくりした！」

そういいつづけていた。

うん、うんとうなずいていたつもりだったが、ボーッとして気がつくと和男《かずお》が梢《こずえ》にバトンをわたすところだった。菜々《なな》は手品《てじな》でも見ているような気がした。いまさっきまでは梢はここにいたのに。トラックじゅうを走りまわって、そのまま自分の番にきてしまったのだろう。梢のバイタリティに菜々は胸が熱くなり、顔は半分泣《な》き笑《わら》いになっていた。

梢は速《はや》かった。風といっしょに飛ぶようだった。走っている梢がいちばん美しいと菜々は思った。そのとき、梢がちょっとバランスをくずした。いままでまっすぐ前を見ていた視線《しせん》が急に下に落ち、梢はいまにも倒《たお》れそうになって走っている。たちまち二組の下田明子《しもだあきこ》が梢とならび信也《しんや》はおどろいたようにして、リードもできずに待っていた。梢はしゅんかん、信也のすがたをさがすように視線を宙《ちゅう》にただよわせ、バトンをわたすかっこうをした。そして、そのまま梢はうずくまるように倒れた。信也は梢のところに走ると、バトンを梢の手からもぎとるようにして、ゴールにむかって走っていった。

梢はコースをはずれ、風に飛ばされていく紙切れのようにトラックの外側へころがっていく。菜々《なな》が走り、かおりが走り、保健《ほけん》の先生が走り、梢《こずえ》をだき起こしたとき、梢の顔から血の気《ちけ》はぜんぶ消えていた。

バン、バーンとリレーの終了《しゅうりょう》を告《つ》げるピストルの音がして、歓声《かんせい》がわき起こった。

どこが勝とうと負けようと、そんなことはどうでもよかった。学校じゅうのみんながゴールを見つめるなか、三人と保健の先生は、静かにそっと、その輪からはなれていった。

5 ひとりひとりに風が吹《ふ》く

気がついたとき、どこもかしこもまっ白い箱《はこ》のようなところに寝《ね》かさせていた。頭を起こしてみると、足のさきに白い鉄のベッドの柵《さく》が見えたので、ここが病院であることがわかった。

梢《こずえ》はなぜここにいるのか一瞬《いっしゅん》わからなかったが、じっと枕《まくら》のなかに頭をうずめているうちに運動会の歓声《かんせい》がきこえ、校庭のトラックが見えだし、梢におこったすべてのことを思いだした。

梢は、ときどき胸《むね》の苦しくなることを自分で感じていたが、つとめてそのことに自分自身、知らんぷりをつづけてきていたのである。

やっぱりきたか……。どこかでそういう声がきこえたような気がして、梢は耳にふたをし、まぶたを二度とあけなくなるほどギュッとつぶった。

「どうか夢《ゆめ》でありますように。どうか夢にしてください」

口のなかでなんどもおなじ言葉をくりかえし、まぶたをひらいたが、白い壁《かべ》は消えてなくならなかった。

耳鳴《みみな》りがするほど静かだった。梢《こずえ》のほかには、だれもいないのではないかと思うほど、なんの音もしない。じっとしていたら自分の胸《むね》の鼓動《こどう》がきこえてきた。からだがかすかにふるえてくる。恐怖《きょうふ》が梢のまわりに霧《きり》のようにたちこめてきた。梢はくちびるをかみしめ、自分で自分の胸をギュッとだきしめた。

梢は、いつのまにか眠《ねむ》っていたらしかった。谷底へ落ちていく夢でびっくりして目をさましたら、枕《まくら》から頭が落ちていた。あいかわらず白い壁も消えずに梢をとりかこんでいる。知らないうちに涙《なみだ》があふれていた。

（わたし、ひとに同情《どうじょう》されるのはきらいなんだ。でもこればっかりは、自分で自分に同情しちゃうよ。どんなひとにだって、ひとつやふたつ泣《な》きどころはあるもんだけど、あたしから運動をとったら、泣きどころしか残らなくなっちゃうじゃないか！）

梢は、くるりとからだをかえすと、枕のなかに顔をうずめて泣けるだけ泣いた。

そのよく日《じつ》、病室の外で菜々《なな》とかおりの声がしたが、梢《こずえ》は耳をふさぎ、母にいってふたりに帰ってもらった。いつもの梢にもどるまで、だれにも会いたくなかった。

（でも、もどるのかな……）

梢は、胸《むね》にのしかかってくる不安を、とりはらうことができなかった。

菜々は、美術室の掃除《そうじ》が終わっても帰る気になれないでいた。四月に桜《さくら》の木の下でうずくまった梢が目にうかび、運動会の日、菜々といっしょに走りつづけてくれた梢のまるい笑顔《えがお》が菜々のまぶたをちくちく刺《さ》した。

菜々が涙《なみだ》ぐみながら顔をあげると、黒板によりかかるようにして作郎《さくろう》が立っていた。

菜々は、あわてて涙をぬぐいふつうの顔をした。

「なあに？」

作郎はめだたない男の子であったが、なぜかときどき、菜々のいたずらに人知れず加勢《かせい》したりして、菜々はなんとなく好意《こうい》はもっていた。

ふつうのことをふつうにやり、大きな失敗《しっぱい》もしないかわりに、期待《きたい》もかけられない。いじめられるわけでもないし、人気《にんき》があるわけでもない。まっ黒な髪《かみ》と、ほりの深い顔立《かおだ》ちですこし外人《がいじん》のように見えるから、はじめて会ったとき、菜々《なな》もかおりも梢《こずえ》もすこし、ドキッとしてふりかえったりしたけれど、作郎《さくろう》と二、三度いっしょになにかするうちに、その気持ちは消え、ふつうのクラスメートの男の子とおなじになった。

ただときには、がんとしてうごかないところがあって、西田《にしだ》先生にも黙《もく》した反抗《はんこう》をしているようなふしがあり、そんな反抗に三人が拍手《はくしゅ》をおくったことも、ほんのなんどかだけれど覚《おぼ》えがあった。

「なにか、私に用事でもあるの！」

菜々は、涙《なみだ》ぐんでいるところを見られたためすこしばつが悪く、つっけんどんにいった。

作郎はだまったまま、黒板からはなれるとつかつかと菜々のすわっている机《つくえ》のそばまで歩いてきた。そして、うしろにかくしていた二つ折りの画用紙を菜々の目の前につきだした。

「はい」

めったにきかない作郎の声がした。

「なあに？　これ」

菜々《なな》は、いぶかしげに画用紙をうけとりたずねたが、作郎《さくろう》はそれ以上は話すことはしないで、美術室からいつもの歩調《ほちょう》で出ていった。

作郎が出ていったあと、画用紙をひらくと、赤い電車の絵が描《か》いてあった。それは、どこかの草原のなかを、こちらにむかって走ってくるすこし古い型《かた》のローカル線で、本物そっくりの、音まできこえてきそうなできばえだった。


よく日《じつ》、作郎が父の転勤《てんきん》で北海道《ほっかいどう》へいくことを知った。急に決まったことらしく、西田《にしだ》先生がそのことを朝のホームルームで発表したとき、クラスのだれもがおどろいた。そして、あす北海道へ発《た》つという作郎のために、五時間目の体育は、作郎のさよなら野球大会となった。

五月のさわやかな晴天《せいてん》のもと、歓声《かんせい》が噴水《ふんすい》のように吹《ふ》きあがり、滝《たき》のように流れ落ちる。

応援《おうえん》の女子生徒は、今年でお別れかもしれないまっすぐで平坦《へいたん》なからだをよせあい、ほおを上気《じょうき》させ、味方《みかた》のチームに声援《せいえん》をおくっている。バッターの男子が石灰《せっかい》の白い線のなかで身《み》がまえるたびに、連《つ》らなって投げだされた女子たちの足が左右に揺《ゆ》れ、波うつ。

「バッター白組、背番号《せばんごう》三十番、作郎《さくろう》」

慎二《しんじ》が、球場アナウンスのまねをして呼《よ》びだした。

六回の裏《うら》、三対二でツーアウト、ランナーなし。いま、白組は塁《るい》にどうしても出たいところだ。応援席《おうえんせき》の泰子《やすこ》たちの女子数人が、がっくり肩《かた》を落とした。

「だめだ……田沢《たざわ》くんじゃ……」

「つぎの木村《きむら》くんと交代《こうたい》できないのかなあ」

ブツブツ不平をいう声がする。反対に味方《みかた》の慎二や誠《まこと》ほか、男子生徒は激励《げきれい》している。

「作郎、がんばれよ！」

「かたくなるな」

「最後の試合《しあい》だからなっ」

作郎は、影《かげ》のおちるまゆの下で、たっぷりとしたまつ毛《げ》にふちどられた二重《ふたえ》の目を声のするほうにむけ、軽くうなずいた。

そのとき、マウンドにむかって赤組の選手が集まりだした。

「どうした？」

西田《にしだ》先生が大声をだしながら、生徒をかきわけてすすみ出た。

「津田《つだ》の手の皮がむけちゃったんですー」

「ついてないなー」信也《しんや》は舌《した》うちをした。

「もう投げられねえのかよ」誠《まこと》は、なおもしつこくきいた。

「いたくってもうだめだよ。すこしやすめばなんとかなるかもしんないけどな」

めぐみと泰子《やすこ》が、白組の応援席《おうえんせき》で手をにぎりあい、敵《てき》の不幸をよろこんでいる。

西田先生は、ひとわたり赤組の男子生徒の顔をながめまわしたが、どの生徒も視線《しせん》をそらし、西田先生から身をかくすようにした。

六年三組の男子は、信也他数名をのぞいては、ほとんどが運動の面で（すべての面でというほうが適切《せきせつ》かもしれない）頼《たよ》りになるものはなく、よっぽど、菜々《なな》、かおり、梢《こずえ》の三人の活躍《かつやく》のほうがめざましいのである。

西田先生が赤組の男子の態度にいやな顔をしてふりむいたとたんに、菜々と目が偶《ぐう》然《ぜん》あった。

菜々はあわてて目をそらし、西田先生もにがにがしげにそっぽをむいたが、思いなおしたようにふりむくと、はきすてるようにいった。

「よし、しかたない。この回だけ選手交代《せんしゅこうたい》だ。川辺《かわべ》、おまえ投げろ」

そして、西田《にしだ》先生はさも不愉快《ふゆかい》そうにキャッチャーのうしろにもどっていった。

菜々《なな》は、本来《ほんらい》ならば梢《こずえ》が呼《よ》びだされるところだと思い、すこしふくざつな気分で立ちあがった。

「ナーナ！　ナーナ！」

かおりの指揮《しき》で、菜々のシュプレヒコールが赤組の応援席《おうえんせき》からわきおこった。

「この回だけね」

マウンドからおりた信也《しんや》は、いたそうに手をおさえながらうなずき、菜々はボールをにぎった。バッターボックスに立った作郎《さくろう》は、放心《ほうしん》したようにバットをさげて立っている。どこかでせっかちな蟬《せみ》が鳴きだした。作郎の背景《はいけい》の桜《さくら》の葉《は》が風に揺《ゆ》れ、揺れるたびにぼんやり立った作郎のすがたをつつみこんだり、おしだしたりする。すみきった空に日射《ひざ》しが、まぶしい。風に揺れうごく緑を見ていると、菜々は目のなかまですずしくなった気がした。

作郎が菜々にちょっと会釈《えしゃく》をしたように見えて、菜々もあわててちょっと頭をさげた。赤い電車が目にうかんだ。やけに校庭が遠くに見える。

菜々《なな》の立っているマウンドが、高く高く小山のようにもりあがり、小学校を見おろしているように思えた。菜々は作郎《さくろう》と話したことといっても数えるほどで、それも記憶《おく》にもほとんどない。でも、いま、緑の海のなかでバットをかまえ、菜々を見つめる作郎があすからどこをさがしてもいないのだと思うと、ふしぎに鼻のおくがツーンとした。

「うわー!」

「やったあー!」

大歓声《だいかんせい》が白組でおこっている。菜々がハッとしたとき、すでにボールは空高く飛んでいた。

「しまったあ……」

いろんなことを考えながら投げたのがまずかった。まんまんなか、白いボールはひばりみたいに飛んでゆく。

「中川《なかがわ》くん、おねがい――!」

外野手《がいやしゅ》の和男《かずお》が、ひっしでボールを追いかける。ボールはプールの手前に落ちて、ホームランにはならずにすんだ。しかし、ボールが二塁《るい》に送球されたときには、さして足の速くもない作郎《さくろう》だったが、もう二塁ベースを踏《ふ》んで、三塁にむかっていた。大喝采《だいかっさい》、大騒《おおさわ》ぎ、白組の応援席《おうえんせき》では、さっきまでブツブツ文句をいっていた女子生徒たちが立ちあがって、はねまわっている。

三塁ベースでボールがうけとられたとき、もう作郎はベースの上で息をはずませ、からだをおってひざをつかみ、呼吸《こきゅう》をととのえていた。赤組の応援席でかおりがさけんだ。

「ナナー！　気にしない、気にしない。ドント、マイン！」

菜々《なな》は声のするほうに手を上げ、バッターボックスに真顔《まがお》でむかった。信也《しんや》のふてくされた態度が見えたような気がした。こんどは無心《むしん》、アンダースロー、直球。

「ストライーク」

西田《にしだ》先生のドスのきいた声がする。

誠《まこと》が野球《やきゅう》帽《ぼう》をキュッキュッと左右にうごかした。そのとき、菜々は視線《しせん》を感じてからだをかたくした。だれかがうしろで、菜々をじっと見ている気がする。けんせいをよそおって、一塁、二塁、三塁と視線をまわしてみた。作郎が急に目をそらしたような気がしたけれど、たしかとはいえなかった。

「ツーストライク」

西田《にしだ》先生の声は、まるで校庭にむかっておどしをかけているようだった。

「ナーナ、ナーナ！」

「いいぞー！」

菜々《なな》のひたいに汗《あせ》が光る。

（あと、一球）

誠《まこと》の顔もこわばっている。菜々は意識を集中して、ぐっと体重をうしろにかけた。

投げた、打った！

コン——凡打《ぼんだ》である。

「オーライ」

菜々のうしろでだれかがさけんだ。菜々がほっと胸《むね》をなでおろしたとき、三塁から
ホームベースにむかって作郎《さくろう》が走りだした。全速力で走っている。菜々は、バックが
エラーをしたのだと思い、とっさにふりむいた。

（私が追いかければよかった）

くちびるをかみしめてまわりを見ると、みんな呆然《ぼうぜん》と立っている。ボールはちゃんとキャッチされていたのだ。

ズサーッと音がして、作郎《さくろう》は思いきりヘッドスライディングをした。

ちょっとみんなびっくりした。作郎の行動《こうどう》がわからなかった。明らかにもう得点《とくてん》になるはずもないのに……。そして、そのことを作郎が知らないわけでもないのに。それなのに、作郎は役にたたない思いきったすべりこみをみせたのだ。ごあいきょうにしては、迫力《はくりょく》がありすぎた。

「どうしたの……田沢《たざわ》くん」

「へんねえ……」

女子生徒のささやく声がする。西田《にしだ》先生もいぶかしげにしていたが、そのうちクラス委員の慎二《しんじ》がとりなすように明るくいった。

「いいぞ作郎、ラストシーン決まったな。別れの活躍《かつやく》としちゃあ、完璧《かんぺき》だぜ」

作郎はだまって立ちあがったが、そのすがたは無惨《むざん》だった。運動着はまっ黒けで、手首からひじまですりきずが一面にあり、めりこんだ砂のあいだから血《ち》がしみでている。

「保健委員《ほけんいいん》――!」

だれかがさけんだ。

「ハイッ」

返事をしたのは、マウンドに立っていた菜々《なな》だった。

菜々はグラウンドをよこぎると、作郎《さくろう》のとなりでとまった。赤組応援席《あかぐみおうえんせき》から、信也《しんや》が出てきて、作郎のきずのようすを見ている。西田《にしだ》先生は菜々を見ると、またかというように声をおとしていやいやいった。

「保健室《ほけんしつ》で手当てしてやれ」

「おれがつぎは投げっから、作郎のめんどうをよーく見てやってくれよなー、川辺《かわべ》さん」

そういいながら、信也の鼻がおかしそうにピクピクうごくのを見て、菜々はことわろうかと思ったが、作郎のことを考えて、だまってうなずいた。

ふたりをはやしたてる声がする。菜々はこのときばかりは梢《こずえ》のいないことにほっとした。梢がいたらなにをいいだすかわかったものではない。からかうことでは梢は天下一品《てんかいっぴん》の舌《した》を持っているのだ。

そのうち、試合再開《しあいさいかい》になったらしく、はやす声はいつのまにか歓声《かんせい》にかわっていた。

保健室《ほけんしつ》は一棟《むね》だけ残されている木造校舎《もくぞうこうしゃ》の一角にある。鉄筋《てっきん》の白い新校舎《しんこうしゃ》からすこしはなれて、わすれられたようにうす緑色の顔をしてひっそりと立っている。

菜々《なな》は、この保健室が好《す》きで保健委員《ほけんいいん》になったのである。一年生のころからよくけがをして、この保健室にきていたから、そういう愛着《あいちゃく》もあるけれど、ふしぎに静かな木造校舎のなかにぽつんとすわっていると、時間の流れが急にゆっくりになった気がするのだ。

「私、保健室ってなんか好きなの」

すのこの上で運動ぐつをぬぎながら菜々がそういうと、作郎《さくろう》はちょっと菜々の顔を見たが、すぐまた運動ぐつに目をおとした。廊下《ろうか》の窓《まど》からはいってくる風がすずしく、外の暑さがうそのようだ。

「私が保健委員だったなんて、知らなかったでしょう」

作郎は菜々の顔は見ずに、窓の外を見た。

「知ってたよ」

菜々《なな》は、きょとんとしてくりくりの大きな目で作郎《さくろう》の顔を見てしまった。しかしその後、自分のほおが赤くなるのを感じると、いそいで保健室《ほけんしつ》の前へいき、引《ひ》き戸《ど》をカラカラと音をたててあけた。クレゾールのにおいが、かすかに空気にまじる。

「先生……」

だれもいるようすがない。菜々は作郎をふりかえり、相談するでもなくポツリといった。

「どうしよ……」

作郎は菜々と保健室をこうごに見るだけで、なにもこたえなかった。

「先生の許可《きょか》がないと、薬いじっちゃいけないことになってるの……。でも、しかたないもん、ネッ」

作郎は菜々のいたずらっぽい大きな目を見て、急におかしさがこみあげてきたというふうに、ニッとわらった。

（え……）

菜々は半分おどろいた。作郎のこんな笑《わら》いかたははじめて見た。

「じゃ、そこにすわって。まず、砂をあらわなくっちゃね」

作郎《さくろう》は丸いすにだまってすわり、きずのぐあいを見ていた。

菜々《なな》はほうろうの洗面器《せんめんき》に湯《ゆ》わかし器《き》からお湯をそそぎ、作郎の横の台の上においた。菜々は目の前の作郎を見ながら、へんにためらう自分がふしぎだった。

(いつもはなんでもないじゃない。ふたりきりのせいかしら……、先生がいないせいかしら？　それとも、手当てのとちゅうでだれかがはいってきたら、へんなことをいわれちゃうって思うせい？)

そこまで考えて、菜々はいきおいよく頭をふった。

(田沢《たざわ》くんはけがしてるんだから、私が手当てしてあげなきゃしようがないんだから)

そして、薬品ケースのかげにいき、大きく深呼吸《しんこきゅう》をした。それから、なにもなかったかのように作郎の手をとると、大きなガーゼでそっときず口《ぐち》をあらいはじめた。思ったよりきずはひどくなかった。

右腕《みぎうで》のきず口をあらい終えたとき、菜々の手になにかポッンとあたたかいものが落ちた。菜々がハッとして作郎を見ると、作郎は泣《な》いていた。声もたてず、ただ涙《なみだ》を流していた。

菜々はすぐきず口に目をやり、いま見たことはわすれることにした。でも、菜々の腕《うで》、作郎《さくろう》のもも、短《たん》パン、床《ゆか》、作郎の涙《なみだ》は、いつまでもあたりをぬらしつづけた。

菜々《なな》はきず口に目をやったままふつうの声できいた。

「どうしたの?」

返事《へんじ》があるとは最初から思っていなかった。よごれたガーゼをきず口《ぐち》からはなし、洗面器《せんめんき》を持って流《なが》し場《ば》へいった。

(こまっちゃうな……、だれかきてくれればいいんだけど、でもだれかきたら田沢《たざわ》くんがかわいそうだし……)

菜々は作郎のところにもどったが、作郎のようすはまったく変わりなかった。表情もなくただ静かに涙を流していた。

菜々にはなにがなんだかよくわからなかった。なにも話もしないで、ただ泣《な》くばかりの作郎が、菜々はだんだんうっとうしくなってきた。そこで、腹《はら》いせにオキシフルをきず口にたっぷりつけてやった。ものすごいいきおいで白い泡《あわ》が吹《ふ》きだし、菜々は自分でしたくせに、あわててしまった。

「ごめん、いたい? ごめんね」

作郎は、やっぱりだまって静かに首を横にふった。涙がオキシフルを持った菜々の腕《うで》にかかった。菜々《なな》はそのとたん急に腹《はら》がたってきた。反応《はんのう》もなく、ただ涙《なみだ》を流す作《さく》郎《ろう》にがまんしきれなくなって、しゅんかん、菜々は声をあらげた。

「泣《な》かないでよ！」

無表情《むひょうじょう》だと思っていた作郎の顔がよく見えた。長い濃《こ》いまつ毛《げ》がはげしくまたたいている。作郎は、はじめから泣くまいとしていたのだ。考えてみれば、女の子の菜々の前でへいきで泣く男の子なんているはずもない。菜々は大声をだした自分がはずかしくなった。

きず口《ぐち》がいたむのでなかったら、作郎はもしかして北海道《ほっかいどう》へいくのがどうしてもいやなのではないだろうか。

「ねえ……ごめん。泣かないで……ごめんね」

菜々は、消えいりそうな声でそういうと、それきりなにもいわなかった。だまってオキシフルで消毒《しょうどく》し、ヨードチンキをぬった。そのあと作郎からすこしはなれた長いすにすわって、窓《まど》の外を見ていた。

蟬《せみ》の声もここまではとどかない。風が音もなく甘《あま》い香《かお》りをはこんでくる。

菜々の目には、教室から見える神社の森が映《うつ》っていた。森が風で騒《さわ》ぐ音がすると、

菜々《なな》は立ちあがり、窓《まど》のところへ立つ。くちなしの甘い香りがする。たぶん森のどこかにくちなしの花が香《かお》りをまきつつ、揺《ゆ》れているのだろう。

なぜかその情景《じょうけい》にかさなって、作郎《さくろう》が窓によりかかるすがたが思いだされた。あれは春のはじめだった。やわらかい夕暮《ゆうぐ》れの光が作郎の横顔をうかびあがらせ、作郎のまつ毛《げ》に夕焼けが落ちていた。作郎はなにを見ていたのだろう。そこまで考えたとき、ふと視線《しせん》を感じた。それは校庭のグラウンドのなかで感じたものとおなじだった。

心の揺れをかくすようになにげなく作郎のほうを見ると、作郎も菜々を見ていた。その目から涙《なみだ》は消え、ほおの涙もきれいにぬぐわれていた。ふたりはしばらく、そのまま言葉をうしなったように見つめあっていた。菜々は急に息苦しくなって視線《しせん》を窓の外へもどそうとした。そのとき、

「ぼく……、わざとすべりこみしたんだ」

息を吸《す》いこんだまま、菜々の呼吸《こきゅう》がとまった。ヨードチンキのふたがコトンと落ちた。映画《えいが》のスローモーションのように、ゆっくり作郎のほうへ首をまわしてゆく。窓の外で風がそよいでいる。

「たざわくん……」

菜々《なな》の声を、かきけすように、慎二《しんじ》がはいってきた。

「お、治療《ちりょう》は完了《かんりょう》ですね。おい作郎《さくろう》、白組の逆点勝《ぎゃくてんが》ちだぞ！　おまえのファイトがむくわれたんだぜ」

慎二は、そういいながら愉快《ゆかい》そうにわらった。ドヤドヤとクラスのみんなが廊下《ろうか》を走ってくる。保健室《ほけんしつ》にはいってきた男子生徒に作郎はかこまれていき、菜々の目のなかから、作郎は半分になり、顔だけになり、目だけになって——消えた。

雀《すずめ》がベランダの手すりに三羽《ば》とまっている。かおりは、日曜日だというのにいつもより早く目をさました。外ではゆううつな雨が降《ふ》りつづいている。

梢《こずえ》が入院《にゅういん》してから、もうすぐ一週間になるけれど、いちどとして面会《めんかい》は許されなかった。

かおりは、梢がまったくおかしなぐあいになってしまったのではないかと不安だった。病気がどんなにつらいものか、まわりがどんなに悲《かな》しいか、病気の母を持つかおりにはよくわかっていた。

病気はだれのせいでもない。もちろん梢のせいでもないし、ましてや菜々やかおりのせいでもまったくないのだ。しかし、リレーの予行演習《よこうえんしゅう》のときはもちろん、いつも梢《こずえ》に病気を悪化《あっか》させるような役《やく》わりをあたえたのはかおりだったのではないだろうか。強制《きょうせい》したこともないし、梢はいつも体力的なことは自分からかって出ていたことは確かである。新学期のはじめに鼻血《はなぢ》でまっ赤に染《そ》まった顔をして、大門怪物《だいもんかいぶつ》ととっくみあっていた梢のすがたが目にうかんだ。

（梢、元気になって、おねがいよ、でないと私……）

かおりのなかで梢と母の顔はかさなり、かおりはどちらのことを考えているのかわからなくなった。

そして、そのあとというもの、梢と母をわすれていられるのはゆいいつ、母とも梢とも、いっさい無関係《むかんけい》な小野《おの》さんと勉強をしているときと、小野さんのことを考えているときだけになってしまった。かおりは教科書や、小野さんのつくったプリントを見ていると、いつのまにか暗くしずんだ気持ちが、陽《ひ》だまりにとけこんでいくような明るさにかわっていくのがわかった。

なにげなく机《つくえ》に目をやると、きのうの晩、とちゅうで終わりにした国語の問題集がある。きのうの小野さんはすこしへんだった。まったくとつぜん、自分で持ってきたコピーをくしゃくしゃにまるめて、問題集をとじた。かおりがおどろいて見ていると、またいつもの感じにもどって、頭をかきながら弁解《べんかい》した。

「いや、まちがえて中学生の問題をコピーしちゃったんでね」

そういいながら、まるめた紙をごみ箱《ばこ》に捨《す》てたのだ。それにしてはみょうに深刻《しんこく》な感じがしたし、いつもならわざわざ中学生の問題を解《と》かせて、かおりがうまく解いたりするとおおよろこびの小野《おの》さんなのに。やっぱり、すこしおかしかった。

かおりは、ベッドから起きあがり、ごみ箱をさがした。クッキーの袋《ふくろ》の上にまるめた白い紙がのっかっていた。

かおりはそれをとると、ガサガサ音をたててひらき、たんねんに机《つくえ》の上で、しわをのばした。それは詩のようだった。

断章

一

今日《きょう》もかなしと思ひしか、ひとりゆふべを、
銀の小笛《こぶえ》の音もほそく、ひとり幽《かす》かに、

すすり泣《な》き、吹《ふ》き澄《す》ましたるわがこころ、
薄《うす》き光に。

二

ああかなし、
あはれかなし、
君《きみ》は過《す》ぎます。
薫《くゆり》いみじきメロデアのにほひのなかに、
薄《うす》れゆくクラリネットの音のごとく、
君は過ぎます。

三

ああかなし、
あえかにもうらわかき、ああわが君は、
ひともとの芥子《けし》の花、そが指に、香のくれなゐを
いと薄きうれひもてゆきずりに触《ふ》れて過ぎゆく。

四

四という字が半分かすれて、文字はそこで終わっていた。

なるほど、わかりにくい詩だと思ったが、なんども読みかえすうちにやたらと君《きみ》という響《ひび》きが頭に残った。文体が昔の感じなので よく理解できないのだけれど、この作者はだれかが好《す》きなようだ……といった感じはつたわってきた。それと同時に、これをまるめた小野《おの》さんの表情が一瞬《いっしゅん》、かたくなったことを思いだした。

(あれはどういうことかしら……?)

〝うらわかきわが君〟というところと〝芥子《けし》〟というところが、みょうにかおりをくすぐった。

(うらわかき……、もしかしてこれは私のことかしら……。私はたしかにわかいわ、十二歳《さい》だもの)

小さいころ、芥子の花を庭《にわ》でつみながら、かおりのおばさんが、「かおちゃんは、このお花みたいね」といったことまで、むりやり思いだした。

すると、急に顔が熱《あつ》くなり、胸《むね》がドキドキした。しかし、すぐあとでそんなわけのあるはずもないと自分にいいきかせた。

小野《おの》さんのかおりにせっする態度はいつも完璧《かんぺき》に、かおりを子どもと見ているのがありありとわかったし、だいいち、小野さんのまわりには頭のいいきれいな女のひとがたくさんいるにちがいないのだ。そこまで考えると、かおりは小野さんにこの詩について、問いただしてやりたくなった。

それから午前ちゅうかかって、この詩が北原白秋《きたはらはくしゅう》のものであることを調べると、質問ということを口実《こうじつ》に、小野さんに会うしたくをはじめた。

以前、小野さんは日曜日は中学三年生を対象《たいしょう》に集中テスト講座《こうざ》を午前、午後と二回うけもっていると話していた。

白いワンピースを着てみたが、あまりおしゃれをしすぎてもへんに思われるし、かといっていつもとおなじでは、あまりに能《のう》がなさすぎる。

そんなことを思って三十分も手間《てま》どったあげく、水色のT《ティー》シャツに白いキュロットスカートでさりげなくきめた。ちょっとものたりないところは白いサテンのリボンを頭にまき、鏡の自分にほほえんだ。すきとおる白いはだにあわい水色がよくうつり、われながら、ちょっとすてきにしあがった。

「これで、よし」

外の雨はいつのまにかやんでいた。

かおりはひろげたコピー用紙を、たんねんにもういちどのばすと、問題集のなかにはさみ、赤いサイクリング車のかごにそっといれると出発した。

ちょうど十二時ごろになるので、もしかしたら食事に出ているかもしれないと心配だったが、自転車をこぐ足はいっこうゆるまず、小野《おの》さんにむかってペダルは早回りをしていた。

線路沿《せんろぞ》いの団地のほうというだけの手《て》がかりだったが、進学ゼミナールはことのほか、かんたんに見つかった。

それは、マラソンコースの道をちょっと右に折《お》れた角にあり、正面にでかでかと、青い看板《かんばん》が塀《へい》にぶらさがっていたのである。

かおりが看板の前で立ちどまっていると、なかからドヤドヤとひとの出てくる気配《けはい》がした。とっさにかくれようと思ったが、なにしろまわりはコンクリートの団地やアスファルトの道しかない。しかたなくてそのまま立っていると、午前ちゅうの試験《しけん》の話をしながら、大きな中学生が二十人ほど出てきた。みんなは、めずらしそうにちょっとかおりのほうを見たが、すぐにまた試験の話をはじめ、それぞれ自転車にまたがると団地の道へ消えていった。

ゼミナールの建物はすこしかわっていた。おもてのはでな看板《かんばん》にあわず学校の小講堂《しょうこうどう》か近所の小さい教会のような感じがする。

しかし、さすがのかおりも、ドアの前に立つと不安になった。目の前に、もとは金色だったろうと思われるノブがある。そのむこうに小野《おの》さんはいるのだろうか……。このドアのむこうには、かおりのまったく知らないこわいおじさんがいて、めがねのふちからじっとかおりを見たあと、迷惑《めいわく》そうに、「なにか用かね、おチビさん」そういうのではないかしら。そしてそのあと、おじさんに追っぱらわれて、すごすごと家に帰るのだ。

そこまで考えると、さっきまでの小野さんを問いつめようとしていた気力も、すっかりしぼんでしまった。しかし、ここまできた以上、そうあっさり帰るわけにもいかない。かおりは、静かにドアを二回ノックして返事《へんじ》を待った。なんの応答《おうとう》もない。

(ああ、やっぱり帰ろう……)

そう思ったとき、ドアのすきまから、かすかに音楽が流れてきた。かおりはそれがクラシック音楽だということだけはわかったけれど、まったく聞《き》き覚《おぼ》えのない曲だった。そしてその曲にさそわれるように、かおりはドアのノブをにぎると、頭のはいる幅《はば》だけそっとあけてみた。

がらんとした板ばりの室内に、ずらりとならんだかんたんなつくりの長い机《つくえ》が見え、おくに学校のものより、ひりまわり小さい黒板があった。むずかしそうな図形や記号が半分けされたまま残っている。その机のどこにもプレーヤーやカセットレコーダーは見あたらない。

かおりはキツネにでもつままれたような気分で、もう一回室内をながめまわした。外から見たとき、すこしかわった建物だと思ったのは、ここのてんじょうがふつうよりとても高いからだということがわかった。そのせいか、低く流れるクラシックがひびきあい、おごそかなふんいきをかもしだしていた。

(あ……はしごがあんなところに……)

いま気がついたのだか、黒板の横のおくのほうに、はしごがかかっていて、その上にカーテンがつるしてある。どうやらそこは、物置《ものおき》か納戸《なんど》のような部屋《へや》になっているようである。

耳をそばだてると、音楽はそこから流れていることがわかった。かおりは、すこしからだをのりだして、その部分を見ようとした。

そのとき、胸《むね》にかかえていた問題集が音をたてて床《ゆか》に落ちてしまった。カーテンが揺《ゆ》れ、ミシミシとだれかが出てくる気配《けはい》がした。かおりはいそいで問題集をひろいあげると、とっさに逃《に》げるポーズをとった。

「なんだい？　わすれもの？　それとも質問？」

小野《おの》さんの声である。かおりはくるりとふりむいた。

「あれっ、汐沢《しおさわ》くんじゃないか！　どうしたの？」

小野さんははしごをおりてくるとちゅうで声をかけたため、動物園の手長猿《てながざる》が、おりの外を見るときのようなかっこうになっていた。

「あ……あの、こんにちは」

かおりが、あわててしどろもどろになっていると、小野さんはこれまたお猿《さる》さんのようにするするっとはしごからおりてきて、あっというまにかおりの前に立った。そして、かおりの腕《うで》のなかに問題集を見つけると、うれしそうににこにこした。

「質問だね」

かおりは、いたずらを見つけられた小さな子のように、へんにあわてて問題集をうしろにかくしてしまった。

「どうしたの？　さ、なかにはいって」

小野《おの》さんはかおりにスリッパをだしてくれた。そして自分はすぐ手前《てまえ》のいすを引くと、腰《こし》をおろした。かおりも小野さんについて、おなじようにとなりのいすを引いてすわった。

ふたりでむかいあうと、小野さんは目をきらきらさせて、うれしそうに話しはじめた。

「汐沢《しおさわ》くんは勉強が好《す》きなんだね。いいことだなあ。勉強するっていうのはちょっと考えると、とてもいやなことだけれどじつはちがうんだね。ぼくがいま、やっと思うんだからきみにいますぐかかれといっても無理《むり》かもしれないけど、勉強するってことは、世界がひろがるってことなんだ。いままで地面しか見ていなかったひとが、いろんなことを知って花や緑を見て歩くようになり、それがまた空まで見えるようになって、そのうち宇宙《うちゅう》さえ見えるようになってくる。とってもすてきで楽しいことなんだね」

かおりがだまってじっと小野さんの顔を見ていると、小野さんはちょっとはずかしそうにてれ笑《わら》いをして、つけたすようにいった。

「まあね、いま、汐沢《しおさわ》くんが勉強しているところはそういう楽しいところまでいくための基礎《きそ》だから、なんだって基礎ってのはおもしろくないんだよね。運動部にはいったってそうじゃない。一年地獄《じごく》、二年で平民《へいみん》、三年極楽《ごくらく》ってさ。きいたことない？」

「さあ……」

「そおーか、これは中学生の場合だからね。まあいいや、どれどれ見せてごらん」

小野《おの》さんはかおりから問題集をとるとパラパラとめくった。そしてふしぎそうにその手をとめた。それもそのはずで、問題集はきのうのまま、ひとつも手はついていないのである。

「ちがうんです。問題集じゃないんです」

「ん？」

小野さんはよくわからないといったように首《くび》をかしげた。かおりは問題集を手にとると、パラパララッとめくり、はさんであったしわだらけの紙をとりだして小野さんにさしだした。

「これ」

小野《おの》さんは、ちょっと当惑《とうわく》したようにそれをうけとり、その紙とかおりをはんはんに見るようにしてだまっていた。

「あたしね、なんだか気になって、読んでみたんです」

「ふーん、で、どうしたの？」

「どうもしやしないけど、ききたいと思って……、でも、もういいんです」

「もういいって、なんだかちっとも良くない感じだけどなあ」

小野さんは理解《りかい》に苦しむといったようすでだまっていた。音楽はさっきからずっと流れつづけている。とてもやさしいきれいな曲である。

「小野さん、この曲なんていうの？」

小野さんは、なにか考えこむようにして、かおりの質問をきいていなかった。

「小野さん！」

小野さんは、びっくりしてかおりを見た。

「え？」

「この曲、なんていうんですか？」

小野さんは、ああ、というとそのあと、目を細めるようにして、てんじょうを見あげた。まるでその曲が高いてんじょうの上のほうで、踊《おど》っているのを見るといったふうだった。

「ドップラーのハンガリア田園幻想曲《でんえんげんそうきょく》」

「え?」

とても一回きいたくらいではおぼえきれないややこしい曲名《きょくめい》で、かおりはききなおしてしまった。小野《おの》さんはわらっていたずらっぽく、かおりの顔をのぞきこんだ。

「知らないだろう、かお……ごめん」

かおりはぽっとほおが染《そ》まった気がして、とっさに下をむいた。そのままポツリといった。

「いいわよ、かおりって呼《よ》んでも……」

小野さんはおどろいたような顔をして、そのあと急にあちらこちらきょろきょろ見まわした。それから、むりにせきばらいをしていった。

「やっと仲良《なかよ》しになれたかな?」

かおりはまた小野さんが子どもあつかいしたことに腹《はら》をたて、ぷいと横をむいた。

「かおりちゃん……慣《な》れるまでちょっとてれちゃうなあ。あのさ、きみ、ピアノひくんだっけ?」

小野《おの》さん、かおりの気持ちなどおかまいなしといったふうに、話をつづけた。

「ちょっとだけね、でもバイエルまでいって才能《さいのう》がないことがわかったわ」

「どうして?」

「どうしても!」

かおりはわざとつっけんどんにいってみたが、小野さんはなんとも感じていないようすであった。

「あのね、ぼくも楽器《がっき》できるんだよ。そうだ、持ってくるから、それまでにあててごらん」

小野さんは立ちあがると、はしごのところへいき、またするするとのぼっていった。

「ギター?」

かおりはカーテンにむかって、大声をだした。カーテンのなかから、こもった声がかえってきた。

「ちがいます」

「バイオリン?」

「ざんねんでした」

「トランペット」

「あ、近くなってきた」

「クラリネットね」

「おしい！」

小野《おの》さんはカーテンのあわせ目から顔と手だけだすと、横笛《よこぶえ》を吹《ふ》くまねをして見せた。

「わかった！　フルート！」

「あったり――」

プツンと音がして、音楽が切れた。小野さんは銀色のすてきに長いフルートを持って、はしごをおりると、かおりの前に立った。

「生演奏《なまえんそう》してあげよう」

そういうと、さっそくフルートを口にあてながらきれいなメロディを吹きはじめた。

これもまた、かおりには覚《おぼ》えのない曲だったけれど、とても静かなやさしい曲で、かおりは思わず目をつぶってききほれてしまった。

低い音が最後に、すーっとあけはなしの窓《まど》から空へすいこまるように消えると、演《えん》奏《そう》は終わった。かおりはせいいっぱい、拍手《はくしゅ》をした。

「すてき！　私もやってみたいわ」

小野《おの》さんは口の部分をセーターの袖口《そでぐち》で、たんねんにふいてからフルートをさしだした。

かおりはフルートに口をあてて息を吹《ふ》きこんでみたが、スーッと息のもれる音がするだけで、なんの音もしなかった。いままで小野さんの吹いていたフルートとこれがおなじなんて、とてもしんじられない。

小野さんはわらいながら、フルートを持ち、かおりの口にあてなおした。かおりは横目で、フルートをつかんでいる小野さんの指を見た。いつか見たフランス映画《えいが》に出てきた男のひとの細い指が目にうかび、小野さんのそれとかさなった。

「ちょっと、手をはなしてごらん」

小野さんは、フルートからかおりの手をはなさせると、もういちどかおりのくちびるにもどした。銀色のフルートの上で、小野さんの指とかおりの指がならんだ。つぎのしゅんかん、かおりは自分の手をはなし、そのあと、あとずさりをしてからだぜんたいをフルートからはなした。

「どうしたの？」

「だめ、教えてもらったって、フルート持ってないし……」

かおりがそういうと、小野《おの》さんはうなずきながら机《つくえ》の上にフルートをおいた。

かおりはそっともういちど自分の手を見た。急に自分の存在がみじめに思え、泣《な》きだしたいような気分がこみあげてきた。

かおりがいくら背《せ》のびをしても、その手は十二歳《さい》の手でしかなかった。小さなまるい爪《つめ》や、鉄棒《てつぼう》でつくった豆《まめ》のあるてのひらは、かおりに十二歳の子どもでしかない自分を見せつけていた。小野さんの細い指が、銀色のフルートの川をさかいに、手のとどかない向《む》こう岸《ぎし》にあることをいたいほどかおりは感じてしまったのだ。

かおりはいままで、いつもいまの自分が好《す》きだと思っていた。十二歳の誕生日《たんじょうび》の前の日だって、十一歳と別れるのが惜《お》しくて、眠《ねむ》るまでは十一歳だと思い、いつまでも眠らないでいたのだ。でも、いまは、十二歳がつらかった。いくら目がさめて、いくら朝がやってきても、かおりは十二歳で、かおりには永遠《えいえん》に十二歳がつづく。そして、小野さんは、川の向こうをどんどん遠くへいってしまう。

かおりは問題集を手にとると、小野《おの》さんにお礼をいった。もうそろそろ、午後の部の中学生がやってくる時刻《じこく》である。

「おひる、じゃましちゃって、ごめんなさい」

「いや、いいんだよ。またおいで」

かおりは頭をさげ、門へむかって歩こうとしたら、小野さんが大声でいった。

「ピアノをやるといいよ。そしたらふたりで、なにか演奏《えんそう》しよう」

かおりはふりかえると、声はださずにうなずいた。


かおりは、線路の上の橋の上で赤いサイクリング車をとめて、長くのびていく線路を見ていた。そして、その上に自分の手をかざし、大きくため息《いき》をついた。そのあと、キュロットスカートのポケットに両手をぐいっとおしこみ、線路から目をはなし、空を見上げた。

「ピアノをやるわ」

かおりの目のなかに映《うつ》った雨あがりの空は、いつのまにか明るく変化し、真上の雲の切れ目からはうす日《び》がさしはじめていた。

6 ふたつのうつろとひとつの対立《たいりつ》

入院《にゅういん》して一週間後、梢《こずえ》は母につきそわれて登校《とうこう》したが、その日は教室に顔を見せず、すぐに帰っていった。

西田《にしだ》先生からそのあと話があって、梢の病気は心臓弁膜症《しんぞうべんまくしょう》だということがみんなに知らされた。心臓のポンプにあたるところが故障《こしょう》しているのだそうだ。はげしい運動や、ショックをあたえるようなことはさせないようにと注意された。

「かおり、私しんじられない」

「私だって、おなじよ、梢みたいに元気な子いないのに」

「病気っていやだね」

「ほんとね、なにもしてあげることもできないし、火事よりも地震《じしん》よりもこわいも

の」

「ねえ、梢《こずえ》にどういう態度すればいいの?」

「わからないわ。梢のようす見ないと、なんともいえない……」

次の日、学校に出てきた梢は、以前とまったく変わらなくふるまい、かえってクラスのみんなのほうが心配するほど元気にしていた。まるい顔の笑顔《えがお》は、気のせいか青く見えることもあったけれど、梢の顔から消えることはなかった。菜々《なな》とかおりは、梢がそうしている以上、以前とかわりない態度でせっすることをひそかに決めた。

「梢、田沢《たざわ》くん転校《てんこう》したの」

「いつ?」

「四日前、北海道《ほっかいどう》に急にいくことになったんですって」

「ふーん、菜々さみしいね」

「べつに!」

「うそよ。私は、梢がいなくてさみしかったけど、菜々は田沢くんのこと思ってさみしがってたのよ。いやねー」

かおりがふざけると、菜々は本気《ほんき》になって憤慨《ふんがい》した。

「ひどい、私、作郎《さくろう》くんのことなんていちどだって考えてないもん！　梢《こずえ》のことずっと考えてたんだから、ほんとよ梢」

梢は、ちょっと涙《なみだ》ぐんだような目になったが、口調はあいかわらずだった。

「どうかねー、ほんとうにいちども作郎のこと考えなかった？　ほんとうにほんと？神さまにちかう？」

菜々《なな》は、ちょっと口ごもった。

「……いちどくらいは……」

かおりと梢は、同時に吹《ふ》きだした。

梢が学校にくるようになってから十日がすぎ、放課後《ほうかご》三人はまた職員室《しょくいんしつ》にそろって呼《よ》びだされていた。

掃除《そうじ》ちゅう、給食《きゅうしょく》のトマトで三人がキャッチボールしているうち、菜々がとりそこね、トマトは四階《かい》の教室の窓《まど》から落ちていった。ところが運悪く、ちょうどその下を教頭《きょうとう》の吉沢《よしざわ》先生がとおりかかり、もののみごとに頭でトマトをうけとめることになってしまったのだ。

「おまえたちにはもういうことがないよ」

西田《にしだ》先生は、あきれたというふうに話をはじめた。

「いつまでもこんなことばかりしててどうするんだ？　本居《もとい》、おまえすこしはおとなしくしてないとからだに悪いんじゃないか？　川辺《かわべ》も大きな目きょろきょろさせてないで。汐沢《しおさわ》、おまえは付属中学《ふぞくちゅうがく》うけるんだろ、成績がいいからってゆだんするな、内申書《ないしんしょ》にひびくぞ」

菜々《なな》と梢《こずえ》は、最後の言葉をきいたとたん、急に顔つきがこわばった。かおりは西田先生を呆然《ぼうぜん》として見つめていた。

職員室《しょくいんしつ》を出ても、三人はだまったままだった。そのうちかおりが、思いきったようにきりだした。

「あのね、菜々、梢、わたし――」

「ごめん、わるいけど、あたしききたくないよ」

梢は下をむいたまま、つめたい声でいった。

「かおり……中学いっしょじゃないのね……」

菜々の声は泣《な》きそうだった。かおりは、菜々を見ると、つらそうな顔をしてほとんどひとりごとのようにいった。

「かくすつもりじゃなかったのよ。ずっと話そうと思ってたのよ」

梢《こずえ》はだまったまま、廊下《ろうか》を走りだし、菜々《なな》もそれにつづいた。かおりは下をむくと、そのまま立ちどまった。

ふたりは、教室にもどりカバンを手に持つと、かおりを待たずに学校を出た。

「おどろいたじゃん」

梢が、校門をぬけるときにいった。

「うん」

菜々はなんとなく、さびしいような不満なような、へんな気持ちでいっぱいだった。

「どうしてかおり、秘密《ひみつ》にしてたのかな」

「いいたくなかったんじゃない」

梢は、わざと興味無《きょうみな》しといったふうにこたえた。

「だってさ、去年《きょねん》、中学いったら三人で、旅行《りょこう》する計画とかたくさんしたじゃない。べつの中学いくんなら、約束《やくそく》やぶることになるでしょ。あんなに楽しみにしてたのに」

「べつにどこの中学にいったって、休みはいっしょだけどね」

「だって、友だちだってそっちの学校でできるじゃない。そしたら、私たちとなんてつきあってられなくなるし、だいいちぜんぜんちがうもん。私立《しりつ》の学校にいってる子ってやっぱり、私たちとちがうじゃない。かおりもそうなっちゃうのよ。私やだな……やだな」

菜々《なな》はかおりが好《す》きだった。梢《こずえ》も好きなことにかわりはなかったけれど、おとなびて、頭の切れるかおりには、あこがれにもにた気持ちがあったのだ。外国文学を読むようになったのも、かおりが『赤毛のアン』を貸してくれたのが始まりだったし、菜々がはじめて昔話《むかしばなし》でない絵本に出会ったのも、かおりの家に遊びにいったときだった。

かおりが着ると、おなじ運動着もなんだかみょうにあかぬけして見えたし、とにかくすべてがそのとおりだったのである。菜々にとって、かおりはひとつの理想だった。菜々の知らない世界にかこまれて育ったかおりといることは、のびのびできない威圧《いあつ》感《かん》を感じることもあったが、そんなかおりと無二《むに》の親友である自分が、むしょうに誇《ほこ》らしかった。

そのかおりが、菜々《なな》からはなれてひとりで知らない世界へいこうとしている。それも、なにひとつ相談もなく、秘密《ひみつ》にしていたなんて。菜々のなかで、悲《かな》しみは半分憎《にく》しみに変化した。

「かおりって、そんな感じあるじゃん。なにしろお父さま、お母さまだしさ、ちょっとお高いところあるもんね」

梢《こずえ》は、前からわかっていたというふうな口ぶりでいった。

「でもさ……」

「いろいろあるさ。いつまでも三人なんていられないんだよ。仲良《なかよ》くしてたって、みんなひとりひとりじゃん」

菜々は、梢が思いもよらないことをいったことにおどろいてしまった。以前の梢は、こんなことはいわなかったような気がした。

「梢」

うしろで声がしたのでふりむくと、おなじクラスの飯島《いいじま》よし子が立っていた。

「あ、飯島、バイバイ」

「バイバイ。川辺《かわべ》さんもバイバイ」

菜々《なな》は唖然《あぜん》として、よし子のあいさつにこたえられないでいた。

よし子といったら、クラスのなかでもいるのかいないのかわからないような子で、細くて青黒い顔色の勉強も運動もできない子だった。いつもおどおどして、人を下から見上げるくせが菜々は気にくわなく、よくいじめたりもした。そして、ひとりですみのほうからみんなをながめているよし子に、おおよそ名前で友達を呼《よ》ぶような人《ひと》なつっこさがあるとは、考えてみたこともなかった。それが、空耳《そらみみ》でなければ、梢《こずえ》のことを、「梢」と呼んだのだ。

「ねえ……いま、飯島《いいじま》、『梢』って、いった?」

「うん……」

梢はちょっとこまったようにこたえた。

「なんで? いつからそんなふうになったの?」

「なんとなくね。ほら、あたし体育、見学することがふえたじゃん。飯島も見学ばっかじゃん。で、ときどき話をするようになってさあ……」

菜々は心のなかにしんしんと孤独《こどく》がふりつもっていくような気がした。

いつのまにかなにかが変わってきている。菜々《なな》だけを残して、ふたりがかわっていく。かおりは、だまってべつの中学へいく準備をはじめ、梢《こずえ》はいつのまにかよし子と仲良《なかよ》くなっていた。菜々は、目にうつる自分の赤いスニーカーがだんだん涙《なみだ》でぼやけはじめるのを感じながら、三人でいっしょにすごした日のことを思いだしていた。

（こんなのいやだ。かおりも梢もどうしたの？　三人でいると、あんなに楽しかったことわすれちゃったの？）

菜々は、心のなかでふたりに問いかけながら、ならんで歩いている梢を横目で見た。梢が、だれからも相手にされないよし子と仲良《なかよ》くなることは、なにか不吉《ふきつ》な予感《よかん》がする。菜々は頭のなかで梢とよし子の顔をかさねあわせ、あわててうちけした。梢は病気になってから、よし子と気が合うようなところができてしまったにちがいない。そう思うと、悲《かな》しかった。以前の明るい梢なら、よし子とは一分もいっしょになんかいられるはずはなかったのだ。

菜々は、こんな梢をほっぽって、自分のことだけを考えているかおりに、腹《はら》がたった。それと同時に、かおりがいてくれたら……と心の底から思わずにはいられなかった。

かおりは二階《かい》の客間《きゃくま》の出窓《でまど》から、まだすこし夕焼《ゆうや》けの残っている空をながめながら、きょうのことを考えていた。

西田《にしだ》先生がかおりの進学のことを持ちだしたときに見せたふたりの表情が、まだ目にやきついている。西田先生があんなことを急にいうとは思ってもみなかった。

かおりはいつも、ふたりに話そうと思いつつ、梢《こずえ》の病気やらなんやらで、話をのびのびにしていたことを後悔《こうかい》した。いちばん避《さ》けたい方法で、ふたりにかおりの進学のことがつたわってしまったのである。話をさきにのばしていたのだって、なにかふたりとの距離《きょり》が生まれそうでこわかったからなのだ。それなのに……、かおりの頭のなかでふたりの顔が点滅《てんめつ》し、そのうちそれに小野《おの》さんの顔がくわわった。

投げやりなシラケた気分でうけとめた中学受験だったはずなのに、小野さんがあらわれてからは、すこしそれがちがってきていた。

大きいだけのガランドウな家で、小野さんだけが、かおりにたいし真剣《しんけん》な態度でせっしてくれた。そして小野さんだけが、ほんとうにかおりに期待《きたい》をよせてくれている。かおりは生まれてはじめて、自分からだれかのよろこぶ顔が見たいためになにかをするということを知ったのだ。菜々《なな》と梢《こずえ》にだまっていたのは悪かったけれど、両親のそろったあたたかい家庭に育つふたりに、かおりの気持ちをどうつたえればわかってもらえるか、かおりにはわからなかった。

バタンと音がして、かおりのすぐ上の兄、透《とおる》が客間《きゃくま》にはいってきた。耳にはヘッドホンをしている。最近の透は、はやりの携帯用《けいたいよう》カセットテープレコーダーを、まるでからだの一部のようにしてはなさないでいる。透は客間にかおりがいるのを見つけると、大声でたずねた。

「かおり、おれのテープ見なかった?」

かおりは思わず顔をしかめた。その声が、びっくりするほどの大声だったからである。透の耳にはロックかなにかが、ガンガン流れこんでいるところなのだろう。かおりはだまって首を横にふった。

「おかしいなあ、一本どっかにおきわすれちゃったんだよ」

かおりはもういちど顔をしかめると、耳に指をつっこみ、こんどは声をだしていった。

「お兄さま、それってなにかで読んだけど、難聴《なんちょう》の原因《げんいん》ですってよ」

「え?」

「難聴《なんちょう》になるっていうの!」

「あ、そう。べつにかまわないよ。そうなれば、補聴器《ほちょうき》でもつけるさ」

かおりは、救《すく》いようがないといったふうに口をちょっとへの字にまげ、また目を窓《まど》の外にむけた。

透《とおる》はあちらこちらのぞいたあと、鼻歌《はなうた》をうたいながら客間《きゃくま》から出ていった。

かおりは、透がもどってこないのをたしかめると、客間のドアに鍵《かぎ》をかけた。ソファの上に寝《ね》そべっていた猫《ねこ》のニャンを屋根の上にだした。

それからかおりは、出窓《でまど》のへりにひじをつき、両手で自分のほおをつつみこむと、霞《かすみ》のような雲が紫色の西の空をよこぎっていくのをながめた。いつまでも夕焼《ゆうや》けの終わった暗い空をながめていたらため息《いき》が出た。

急に梢《こずえ》のことを思いだした。梢は病室で、いまのかおりのようにひとりぼっちで外を見ていたのかもしれない。そして、かおりの母はいまでも……。

かおりは窓からはなれ、目をとじると、小野《おの》さんを思いだすためにソファに横になった。

はじめて小野《おの》さんと会ったのもこの客間《きゃくま》だった。そういえば、あのときつねられてできたあざは、いつのまにか消えてなくなっている。

かおりの頭のなかで、もうすぐ小野さんの登場《とうじょう》というところにさしかかったとたん、こんどは姉の洋子《ようこ》の声がした。廊下《ろうか》のはしでかおりを呼《よ》んでいる。かおりは父にきつくいわれてなかったら、チェッと舌《した》うちをしたいところだった。その声はだんだん近くなり、客間をノックしはじめた。

「かおり、ちょっと、なに鍵《かぎ》かけてるの？　出てらっしゃい」

かおりは頭のなかで、テーブルの上の灰皿《はいざら》をドアに投げつけるところを想像した。

「わかったわよ、わかったからうるさくしないでよ」

かおりがドアをあけると、洋子はちょっと不機嫌《ふきげん》な顔つきで立っていた。

「なに、いまの言いかたは」

「……ごめんなさい」

かおりは、どうでもいいといった気分であやまった。なんにせよ、かおりはいま、ひとりきりになって小野さんのことを考えたいのである。

「日曜日に、お母さまの病院へ家族そろっていきますからね。おぼえておいてちょう

だい」
かおりは、うわの空でうなずいた。洋子《ようこ》はかおりの態度を見ると、あきれたように
いった。
「こんどこそいきなさいよ。まったくつめたい子なんだから。だれのお母さまなのよ、
あなたのお母さまでしょ」
「あなたのお母さまか……」
かおりがそうつぶやいて、洋子の顔を見ると、洋子はすこしあわてたようにいった。
「なによ」
かおりは、口をへの字にゆがめると、肩《かた》をすくめてみせた。洋子はつんつんしなが
ら下へおりていった。
かおりは急に母の入院《にゅういん》したおさない日のことを思いだした。
かおりの母は、かおりが一つになるころに肝臓《かんぞう》を悪くし、病院にかよっていたが、
病状《びょうじょう》は思わしくなく、かおりが五つになった年、入院が決まってしまった。その後、
母は入院と退院《たいいん》をくりかえしていたのだが、ここ二、三年はすっかり病院生活をおく
るようになってしまっているのだ。

小さかったかおりは、母が入院《にゅういん》するたびに泣《な》き、まわりのおとなたちは、「病気なんだからね」といっては、かおりを納得《なっとく》させようとした。しかし、小さいかおりは、どう説明してもらおうと、寂《さび》しいことにかわりはなかったのだ。

「あなたのお母さまか……」

かおりはもういちど口のなかでつぶやくと、病室でやさしげに声をかける姉たちのすがたと、寂しそうにほほえむ母の顔を目にうかべた。

梢《こずえ》は家に帰ると、とたんにからだじゅうが鉛《なまり》のように重くなる。口数《くちかず》もすくなく、自分の部屋《へや》にこもってほとんどなにもしないで寝《ね》てばかりいた。学校で明るく元気に見せようという緊張《きんちょう》の反動《はんどう》なのである。

下の部屋からミシンの音がきこえる。母が梢のブラウスを縫《ぬ》っているのだ。母は、梢の病気を知って以来、梢に自分の手で作った服を着せることを決心したらしい。ミシンの音はいつまでもやむことをわすれたかのように、二階《かい》の梢の部屋までつたわってくる。母の気持ちはうれしかったが、はんめんかえってつらく感じることもあった。

「こずえ――、ケーキ買ってきたぞ――」

残業《ざんぎょう》のおおかった製菓会社《せいかがいしゃ》に勤《つと》める父も、最近はきっちり七時に、家に帰ってくるようになっている。

梢《こずえ》は頭の下の枕《まくら》を本箱に思いきり投げつけた。カチャンと音がして、誕生日《たんじょうび》に買ってもらったピエロの貯金箱《ちょきんばこ》が畳《たたみ》の上に落ちた。

ひとりっ子の梢を目のなかにいれてもいたくないほどかわいがっている父が、休みのたびに庭のほうずきを見ては、つらそうな顔をしていることを、梢はちゃんと知っている。

二年生の夏、梢ははじめて二十五メートルを完全に泳ぐことができるようになった。そして、そのタイムは三年生の男子とほぼおなじ記録だったのだ。その日はちょうど、風邪《かぜ》ぎみで会社をやすんだ父が見学にきてた日で、父はわが子のたのもしさに有頂《うちょう》天《てん》になってよろこび、その日は一日じゅうその話しかしなかった。

そして、ごほうびにといって、だいだい色の袋《ふくろ》入《い》りキャンデーみたいな実のついた、かわいいほうずきを買ってくれたのだ。ほんとうのところ梢はテレビゲームを買ってほしかったのだけれど、植木《うえき》の好《す》きな父にとっては、なによりもほうずきがいちばん、すてきなプレゼントだと思ったらしい。

そのほうずきは、毎年みごとな実をつけ、梢《こずえ》は梢で毎年学年一の記録をだし、父は梢とおなじまるい顔をまっ赤にしてわらいつづけた。いたずらで手をやかせ、勉強もあまり得意でもない梢を自慢《じまん》する種は、両親にとってただひとつ、スポーツだったのである。

「どうしてかなあ。お父さんもお母さんも、運動はできるほうじゃなかったのに、子どものおまえがこんなに運動神経《うんどうしんけい》がいいなんて、ふしぎだねえ」

うれしくてしかたないといったふうに話す父と、横でうなずく母のすがたは、もう二度と見られない。もう涸《か》れてもいいくらい泣《な》いたはずなのに、涙《なみだ》はいつまでもどこからともなく湧《わ》き、梢のほおをぬらしつづけた。

あすになれば、また学校へいかなければならない。そして次の日も、またその次の日も……。

梢はひとりでいることが寂《さび》しいはんめん、菜々《なな》とかおりといることもつらかった。ふたりが気がつかないように梢をかばってくれていることもうれしいくせにわけもなく腹《はら》がたったし、なにをしても、なにをしてもらっても気持ちは晴れなかった。

（かおりか……）

梢《こずえ》は自分たちからはなれていくかおりのことを思った。梢がただひとつかおりにも負けないことは、スポーツだった。短距離《たんきょり》でも高跳《たかと》びでも、水泳でも、梢は常《つね》にかおりより上をいっていた。だからこそ、梢はなんのひけめもなくかおりとだってつきあえたのだ。

かおりはきれいで、頭も良く、スポーツだってそこそこなす。なぜ神さまは、梢にはひとつしかないものをとってしまい、あんなにいろいろなものを持っているかおりからは、ひとつだって奪《うば》わないのか。

梢は一瞬《いっしゅん》、かおりが病気になることをねがった。そして、そんなことを思った自分がおそろしくなった。

そのよく日《じつ》の土曜日、三人は一日じゅう気まずい思いですごした。算数の時間、さされた菜々《なな》はいつもどおり小声で、「かおり」と助けを求めてしまってから、あわててはなれたり、かおりも解答《かいとう》を書いたノートをわたそうかわたすまいか迷《まよ》っているうちに、それを西田《にしだ》先生に見つかってしまったりした。

菜々はかおりが好《す》きだっただけに、許せないといった気持ちがしたたし、かおりもいまさらなんといったらふたりがわかってくれるだろうかと考えこむばかりだった。梢《こずえ》は梢で、きのうの夜思ったことが気になって、かおりからはなれてばかりいた。そして悪いことに、次の日が日曜日であったということと、三人の気の強さがまたふたりとかおりを遠ざけることとなってしまった。

梢と菜々《なな》はなんとか、かおりになにかいわせようとして、わざと見せつけるように肩《かた》を組んでわらったりしていたが、かおりは気にするでもなく席を立ち、ふたりは気のぬけたようにだまりこんだ。かおりもふたりから自分のすがたが見えなくなったところで、思わず涙《なみだ》をふいていた。

三人はそれぞれに、いっしょにいたときの楽しかったことを思いだしては、どうにか以前のようにならないものかと思うくせに、顔をあわせれば、ひとことも口をきかずに遠ざかることをくりかえしてしまうのだった。

そんな状態がつづいたまま二週間がたち、三人は意地《いじ》をはったまま、話しあう機会《きかい》をなくし、とうとう分裂《ぶんれつ》は確実《かくじつ》なものとなってしまった。

菜々と梢はまあまあ以前とおなじようにすごしてはいたが、ひとりになったかおりは、わざと孤立《こりつ》するように自分をしむけているようだった。親友《しんゆう》のふたりが去《さ》ったいま、かおりのなかには、ただひとり小野《おの》さんだけが棲《す》むようになっていたのである。

かおりは、休み時間にこっそり体育館の裏《うら》にひとりでいっては目をとじ、小野さんのことを考えた。それから、かおりがひとりでブランコにのれば、となりのブランコで小野さんがほほえみながらゆらゆら揺《ゆ》れていたし、小野さんの声がききたいと思えば、問題集や辞書《じしょ》をひろげればよかった。そのなかには解答《かいとう》を読みあげる小野さんの歯切《はぎ》れのいい声や、かおりに質問する楽しげな声がつまっていたのだ。いまでは、机《つくえ》にすわり勉強するということは、小野さんに会うこととおなじになっていた。

かおりの生活はこんなぐあいだったから、火曜と木曜の晩、目の前にほんものの小野さんのいるとき以外は、学校でも家でもうつろになり、いつも見えない幻《まぼろし》に気持ちがうばわれるような状態が目についた。しかし、ぼんやりしているように見えていながら、毎日の小テストでは以前にまして、満点をとることがおおくなり、菜々《なな》と梢《こずえ》は、寂《さび》しそうなかおりのうしろ姿《すがた》を気にしながらも、わりきりのいいガリ勉と憤慨《ふんがい》しあった。

7　失敗《しっぱい》、そして追《お》い打《う》ちをかけるような裏切《うらぎ》り

梢《こずえ》がぼんやり教室の窓《まど》から外を見ていると、だれかが梢にむかって手をふっている。飯島《いいじま》よし子《こ》である。梢は気もなく手をふりかえし、めずらしくみんなとなわとびをしているよし子のうしろ姿《すがた》をなんとなくながめはじめた。

よし子はみんなからうっとうしがられているうえに、どこかで万引《まんび》きをしたというわさまである。菜々《なな》がときどき、それとなくどうしてよし子とつきあうのかと質問することがあるが、梢はわらってあいまいなことをいっては、その場をやりすごしていた。

ほんとうのところ、梢は自分でもわからないのだ。たしかに菜々のいうとおり、以前の梢ならよし子を相手にすることは、まずなかったろう。しかし、いまの梢は以前の梢ではないのである。人の気持ちをうかがうようにする態度や、なにをやっても一《いち》

人前《にんまえ》のことができないよし子《こ》を見ていると、梢《こずえ》はいらいらするはんめん、自分より劣《おと》っている人間がいるということで、なにか気持ちがやすらぐのをおぼえてしまう。よし子の前にいるときだけは、なんの気負《きお》いも、はりきりも必要のないことなのである。

よし子がふりむき、梢にすいた歯をのぞかせてニッとわらった。梢はその顔を見たとたん、よし子と自分にたいする嫌悪感《けんおかん》を同時に感じた。

(なんで、あいつとなんか……)

梢はさっと窓《まど》からはなれると、目をつぶってこぶしをにぎりしめた。

闇《やみ》が四方《しほう》からせまってくる。逃《に》げるところもなく、完全な密室《みっしつ》にとじこめられたような息苦《いきぐる》しさが襲《おそ》う。汗《あせ》をびっしょりかいて梢はとび起きた。

「夢《ゆめ》か……」

梢はここのところ、なんどもこんな夢を見て目がさめることがつづいていた。夜でなくても、ひとりでポツンと部屋《へや》にいるときも、梢はなにか責《せ》めたてられるような圧《あつ》力《りょく》をからだに感じ、胸《むね》が苦しくなることがあった。定期的《ていきてき》にかよっている総合病院《そうごうびょういん》

の先生は、

「べつに変わったところはありませんね。心配しないでいいから、薬だけはきちんとのむんですよ」

そういうだけで、梢《こずえ》の心臓《しんぞう》がどうかなってしまっていることはないという。でも、たしかに最近、梢のからだの調子はおかしいのである。こうして夢《ゆめ》からさめた梢は、もういちど眠《ねむ》ろうとしても、またおなじ夢にうなされるのがこわくて眠れなかった。そして、そのまま朝を待ち、梢の睡眠《すいみん》時間はますます減《へ》るばかりだった。

梢の症状《しょうじょう》は、心臓《しんぞう》の病気からくるものではなかった。病気は心臓から心へとうつっていたのである。梢のなかで、ひとつの希望が死んでいった。このとき、梢のなかでそのかわりとして梢を生かしていくなにかが、梢は見つけられなかったのだ。梢があせれば、あせるほどそれは見つからず、梢の心を打ちくだいた。そして、梢は、自分自身の影《かげ》のなかにしゃがみこんだままこわれていく心の音をきいていた。

「こずえー！」

菜々《なな》は校舎《こうしゃ》のかげからとんでくると、だきかかえるよし子《こ》から、梢をもぎとった。

昼休みに校庭を歩いているとちゅう、急に梢《こずえ》は倒《たお》れたのである。保健《ほけん》の先生は、菜々《なな》の心配そうな顔をのぞきこみ、ただの睡眠不足《すいみんぶそく》による貧血《ひんけつ》だといったが、菜々にとっては原因《げんいん》がなんであろうと、梢が倒れることじたい、おそろしいことだった。

梢のお母さんがすぐにきて、梢は帰っていったが、菜々はまた、運動会の日を思いだして不安になった。

(梢、死んじゃだめだから)

五時間目がはじまり、菜々がぼんやりすわっていると、そっとひじのあたりに、紙きれがおしつけられた。はっとして見ると、かおりが澄《す》んだ切《き》れ長《なが》の目を不安そうにうごかしながら菜々を見ている。菜々はなつかしさにちょっとうろたえながら、紙きれをひらいてみた。

〈梢は、だいじょうぶ?〉

菜々は、大きな目をかおりにむけると、こくりとうなずいてみせた。菜々の胸《むね》のあたりがくーっとあたたかくなっていった。

次の日、梢は朝になっても学校へはいかずカバンをさげたまま、まっすぐ神社の森へ歩いていった。注射《ちゅうしゃ》のおかげでひさしぶりにゆっくり眠《ねむ》り、気分が良かった。

ひんやりとした森のなかにはいると、梢《こずえ》はすわりごこちの良さそうな木の根に腰《こし》をおろし、カバンを下草《したくさ》の上においた。頭のはるか上で鳥の声がする。

梢はいつのまにか、以前のような明るい気持ちになっていた。森の緑やさわやかな風は、梢に時間の流れをわすれさせた。梢は運動会前の梢になった。いや、もっと前、小学校入学当時のどこもからだのおかしくない梢になっていた。やわらかな初夏の緑は、まだわかわかしい香《かお》りをはなっている。ねむの木が、ゆったりと風に揺《ゆ》れるすがたは、まるで居眠《いねむ》りでもしているようだ。

ふと足もとに目を落とすと、玉虫色《たまむしいろ》に光る小さなトカゲがいた。しかし梢がちょっとからだをうごかしたとたん、両足のあいだをすりぬけ、うしろの朴《ほお》の木の下を右にまがった。梢は森のなかを目をこらしてそのトカゲをさがした。

「いた！」

小さなトカゲは、ハコベの葉のあいだにもぐりこんでいくところだった。梢がそこにとんでいくと、こんどはくさりかけた材木の下をくぐりぬけ、トカゲはあっというまに森のおくへ逃《に》げていく。

梢《こずえ》はどういうわけか、どうしてもそのトカゲを手にいれないと気がすまないような気になり、森のなかを走りまわり、下草《したくさ》をかきわけさがしつづけた。そのトカゲを手にいれれば、梢はいまの苦しさからぬけだし、なにかをつかむことができるような気がしたのである。

トカゲのすがたはどこをさがしても、もうしっぽのさきすら見つけることはできなかった。そして、そのうちわすれかけていた現実《げんじつ》が、梢のなかにもどってきた。心臓《しんぞう》が苦しくなりはじめたのである。梢はもうどうなってもいいと思った。この心臓がとまるまで走ってやろうと思ったのだ。

しかし梢は、心臓がとまる前にその場にしゃがみこんでしまった。なさけなくて涙《なみだ》がこぼれた。心臓の音がすこしおちついたとき、梢は立ちあがると、こんどは近くのカシの木に自分のからだを打ちつけた。

(死んでしまいたい。こんな心臓はいらない。こんなもの、こんなもの!)

白いポロシャツに木の皮がめりこみ、ボタンは引きちぎれた。それでも梢はやめようとしなかった。

そのとき、だれかが梢をうしろから、ものすごい力でだきかかえた。ふりむくと、そこには、母がいた。母の顔には、なにかしんじられないものを見た驚《おどろ》きと悲《かな》しみがうかんでいた。

梢《こずえ》は放心《ほうしん》したような目つきで、母をじっと見ていた。

母は梢をかかえ、石のようにかたくなったままだった。梢が静かにしているのがわかると母は目をつぶった。そのうち、そのとじた目のはしから涙《なみだ》があふれ、ほおをつたって落ちていった。母のからだから力がゆっくりぬけるのと同時に、細い肩《かた》がふるえ、梢の髪《かみ》に顔をすりつけるようにした顔がゆがんだ。

母は泣《な》き声《ごえ》ひとつたてなかったが、それだけに母の悲《かな》しみが梢にはこたえた。梢はそのとき、自分のしようとしたことのおそろしさをはじめて感じた。梢はくるりと身をかえすと、大声をあげて母の胸《むね》のなかで泣いた。発病後《はつびょうご》、はじめてひとの前で見せた涙であった。

苦しんでいたのは、梢だけでないことはわかっていたつもりだったが、梢は自分のことしか考えられず、ひとりで不幸をしょいこんだ気になっていたのだ。母の涙が梢のほおにつたわって流れたとき、そのあたたかさが梢のなかのなにかを溶《と》かした。梢は自分のなかで音をたてて、もうひとつのなにかがうごきだすのを感じていた。

「ごめんなさい、ごめんなさい」

梢《こずえ》は涙《なみだ》で言葉がつまり、なにをいっているのかわからないような発音しかできなかった。母はだまったままうなずくと、口をひらいた。

「梢、むちゃをしちゃいけないよ、なにかあるはずだから、なにか……」

そこでまた母は、泣《な》き声《ごえ》をのみこむために、口をぎゅっととじて、言葉を切った。

その日の夕がた、梢は菜々《なな》に電話をした。

「菜々、頼《たの》みがあるんだ」

「なに？　もういいの？　からだのぐあい」

「うん、まあね。それはともかくさ、もうすぐ実力テストがあるじゃん」

「あ、そうだ！　わすれてた。いやだなあ、私あれいちばん苦手《にがて》なの」

「あたし、菜々に勉強教えてもらいたいんだ」

「ベンキョウ⁉　梢、勉強するの？」

「なによ！　そういう言いかたないじゃん。せっかくやる気になってんのにさ」

「ごめん、ごめん。いいけどね……教える自信ないなあ私。かおりがいてくれたらね……」

菜々《なな》は、そういってしまってから、はっと口をおさえた。梢《こずえ》もそれにはなにもこたえなかった。いまとなっては、かおりにたよろうとしてもしかたないのである。

菜々は受話器《じゅわき》にあてた耳をすましてから、あらためて、わざと明るい声で話をつづけた。

「わかった。とにかくやろう。ハマグリをびっくりさせちゃおうよ」

「うん」

そして次の日から、ふたりは交代《こうたい》におたがいの家に泊《と》まりこんでは勉強をつづけた。

とはいっても実力テストの範囲《はんい》は砂漠《さばく》のように広大《こうだい》で、六年間の勉強がすべてふくまれるという試験なのである。いくらなんでも砂漠の砂がいっぺんに袋《ふくろ》につまるわけはない。そのうえ、つみ重ねの算数となると、梢はこれまでさぼりつづけていたから手も足も出ない。

「勉強って、やっぱり性《しょう》に合わないんだよね」

「うん、もういやんなっちゃったほんとに」

ふたりは泣《な》きごとをいいつつ、西田《にしだ》先生や学校を呪《のろ》いつつ、毎日勉強をつづけた。

そして十日後、とうとう実力テストの日がきた。みんなの机《つくえ》の上には筆箱《ふでばこ》だけが、ぽつんといごこち悪そうにおいてある。カサカサと用紙をまわす音が教室にひびき、「はじめ」という、西田《にしだ》先生の声がした。

校門を出たふたりの肩《かた》は、力なくおちていた。

「ねえ、梢《こずえ》できた?」

「わざとらしいな、このすがた見ればわかんでしょ」

「エヘ、まあね。でもさ、あんなの学校で勉強したっけ? わすれちゃったなあ……」

「あたしなんか、わすれるもなにも、見たこともないもんばっかだったよ」

ふたりは顔を見あわせ、わらった。

「私ね……、あしたまた、おこられるかもしれない」

菜々《なな》が下をむいていった。

「なんで?」

「テストにいたずらしちゃったの」

「ええっ?」

「だって、あんまり白いとカッコつかないでしょ。だからダルマさん描《か》いちゃった」

梢《こずえ》がニヤッとわらい、菜々《なな》もニッとわらった。そしてふたりは、空にむかって声をあわせてさけんだ。

「手も足も、でないよ——！」

「こんどがんばろうね」

「うん……」

「実力テストよりもね、ふつうのテストのほうが勉強のしがいがあるんだもん。出るところがだいたいわかるでしょ。この次を見てろって！」

「うん……」

菜々は、そう気にするでもなく、次のテストの話をしていたが、梢はすこしまいっていた。梢は今回、生まれてはじめて勉強らしい勉強をしたのだ。

（やっぱりだめだ……）

母のよろこぶ顔が見たかった。あんなに泣《な》かせた母にこたえるために梢は真剣《しんけん》だったのだ。梢は今回のテストでなにかがつかめるような期待《きたい》さえもっていた。しかし、その結果は、予想とはまるでちがったものになってしまった。

梢はとなりで話す菜々の言葉をうわの空でききき、きょうのテストが手もとにかえってくるときのことを、ぼんやりと考えていた。

七月もなかばとなり、水泳の季節がやってきた。

去年《きょねん》まで平泳ぎの記録保持者《きろくほじしゃ》だった梢《こずえ》は、放課後《ほうかご》、だれもいない教室にいた。五十メートル自由形《じゆうがた》の選手にえらばれて特訓《とっくん》をしている菜々《なな》を待っているのだ。マンガも読み終わり、スタートの笛《ふえ》の音もきこえなくなった。そろそろ菜々が帰ってくるころだ。

梢はしばらくマンガをパラパラとめくっていたが、それにもあきて黒板に菜々の悪《わる》口《ぐち》を書くことを思いつき、席を立った。きれいに掃除《そうじ》された黒板には、チョークまできれいになくなり、かけらさえ見あたらなかった。西田《にしだ》先生がいつも教卓《きょうたく》の右の引《ひ》き出《だ》しから、チョークをとりだすのを思いだした梢は、なにげなく右の引き出《だ》しを開いた。しかし、梢と教卓はむかいあっていたため、梢が右と思っていたのは反対の左側の引き出しだったのだ。

そこには、チョークのかわりに、赤い文字で印刷《いんさつ》された市販《しはん》の社会のドリルテストの解答《かいとう》がはいっていた。梢は息をのんで赤い文字を見つめた。早くしめなくてはと思いながら、梢《こずえ》の目は、赤い文字を凝視《ぎょうし》したままだった。

そのときとつぜん、前の入り口からよし子《こ》がはいってきた。

「梢」

梢はおどろいて一歩うしろにとびのいた。

「梢、なにしてんの？」

そういいながらよし子は、梢にちかよってきた。

梢はとっさのことに、頭のなかがこんがらがってしまい、なにもこたえられないでいた。よし子は開いている引《ひ》き出《だ》しのなかに目をはしらせると、「あ」と、小さくさけんで、

「これ……、テストの答えじゃない」

「ちがうよ、まちがえたんだから、チョークだそうとして――」

梢が説明をはじめたとき、菜々《なな》がとびこんできた。

「おまたせ――！」

ふたりのただならぬ気配《けはい》に、菜々はそこで立ちどまった。

「どうしたの？」

菜々《なな》は、よし子が梢《こずえ》といっしょにいることを気にしながらたずねた。

梢は、目をひらきっぱなしで菜々を見ていた。よし子がどちらにいうともなく、口をひらいた。

「もう見たんだからしかたないわね」

梢はまっ赤になって首をふった。

「ちょっと見たっておぼえてないよ。知らないよあたし！」

菜々はわけがわからず、ふたりのそばにいって、はっと息をのんだ。よし子が引《ひ》き出《だ》しのなかからひらりと赤い文字で印刷されたテストの解答《かいとう》をとりだした。そして、いつもとは別人《べつじん》のように自信に満《み》ちたようすで、おどろいているふたりにいった。

「うつしちゃわない？」

ふたりは一瞬《いっしゅん》、よし子がなにをいっているのか理解《りかい》できなかった。とくに梢は、よし子が先生にいいつけるというものだとばかり思っていたから、なおさらだった。

「え？」

「もう三人とも、見たもおなじだから、どうせのこと、うつしたってそうかわらないんじゃない」

梢《こずえ》は、よし子《こ》のもちかけをききながら、母の顔を思いうかべた。そして先日《せんじつ》かえしてもらった実力テストの結果も……、そして、うなずいた。

菜々《なな》はその日、ふとんにはいってもなかなか眠《ねむ》れないでいた。あのとき梢がよし子にうなずくすがたを目の前で見ながら、菜々はしんじることができなかった。

(どうしてそんなにしてまで?)

菜々の目のなかで、また梢とよし子がかさなり菜々はぎゅっと目をつぶった。梢はこんなにまでして、良い点をとりたがっている。菜々には梢の気持ちはよく理解できなかったが、とにかくそこまで思いつめていた梢の希望を、実力テストでかなえてやることのできなかった自分にも、なにか責任があるような気がした。

(かおりだったら、きちんと教えてあげられたのかもしれない……)

菜々はそう思うと自分がなさけなかった。この前のテストで、すこしでも良い点がとれていたら、梢はきょう、あんなふうによし子のいいなりにはならなかったにちがいない。しかし、菜々は梢の安易《あんい》な態度に腹《はら》もたてていた。そんなかんたんに、ものごとが思うとおりに進むわけはないのだ。

（せっかちすぎるのよ、梢《こずえ》は……）

菜々《なな》はそう思ったしゅんかん、校庭で倒《たお》れた梢のすがたを思いだした。菜々の肩《かた》にしめった重い手がズンとのったような気がした。

（まさか……そんな……、梢が……）

菜々の頭のなかではげしくいろいろな梢の行動がうかびあがり、それはすべて、〝死〟という言葉でつじつまがあってしまったのである。梢はいそいでいるのだ。

〝死〟が梢のあとを追いかけてきているのだ。

菜々は思わずふとんからとび起きた。どうしたらいいんだろう。動転《どうてん》する頭のなかに、かおりの顔がなんどもうかんだ。菜々はゆっくり息を吸《す》いこみ吐《は》きだし、もういちど枕《まくら》のなかに頭をうずめ、大きな目でてんじょうをじっと見つめた。

（いっしょにいよう）

菜々は決意《けつい》した。菜々にできることは、梢からはなれないということしかなかった。ここで梢をほうりだせば、菜々の頭にたびたびうかんだように、梢はよし子と完全にかさなりあう。ほがらかな大笑《おおわら》いもせず、教室のすみでよし子とコソコソ話をする梢にだけは、菜々はなってもらいたくなかった。菜々は鼻のおくがツンといたくなるのを感じながら、風のなかをまんまる笑顔《えがお》で走っていく梢《こずえ》のすがたを思いうかべていた。

「じゃ、第一章が終わったところで、あしたの社会の時間は、いつものテストをするからな」

社会科の教科書をとじながら、西田《にしだ》先生がみんなに通告《つうこく》した。

教室じゅうが、えーとかやだとかいう声でざわめくなか、菜々《なな》は頭の上に重石《おもし》をのせられたような気持ちで下をむいた。ななめうしろのかおりの上《うわ》ばきが見える。菜々はそっとかおりをぬすみ見た。かおりはいつもとかわらぬ表情で机《つくえ》の上をかたづけていたが、菜々の視線《しせん》を感じて、ぱっと目をあげた。そのとたん菜々は、さっと前をむいて、知らないふりをした。かおりが菜々を見ているのがわかる。

(かおり、助けて……かおり)

菜々は、のどまで上がってきた言葉をぐっとのみくだした。梢が倒《たお》れたときに見せたかおりの態度からして、いま、菜々がかおりに相談すれば、かおりは助けてくれるにちがいない。でも、あのとき西田先生がいったように、かおりが付属中学《ふぞくちゅうがく》を受験《じゅけん》するのなら、内申書《ないしんしょ》にひびくような、こんなことにもうまきこんではいけないのだ。

それに、このことを話すということは、どこかで梢《こずえ》を裏切《うらぎ》り、菜々《なな》自身の無力《むりょく》さも認めることになってしまう。

菜々は、重苦しい不快《ふかい》さのなかで、よし子をにらみつけた。どんなひどいいたずらをするときだって、今回みたいな気分になったことはなかった。

帰り道、菜々は明日《あす》のテストのための綿密《めんみつ》な計画を梢に伝授《でんじゅ》した。やるからには成功しなければ、よけいひどいことになる。

「いい、あの答えをあのまま書いちゃだめ、すぐにバレるからね。家に帰ってそこのところの教科書を読むのよ。そして、梢の言葉になおしておぼえるの。それから100点をとろうとしちゃだめよ。90点くらいじゃないとへんに思われちゃうから」

梢は、真剣《しんけん》な顔でうなずいた。

「わかった。飯島《いいじま》にも知らせる？」

菜々は、梢の顔をちらっと見てさも不愉快《ふゆかい》そうに吐《は》きすてた。

「あんなやつ、どうなったっていいわよ。ほっぽっとけば！」

考えてみれば、菜々のこのあさはかさが命《いのち》とりになった。

次の日の四時間目、社会科のテストはぶじ終了《しゅうりょう》した。

しかし、帰りのホームルームになって、西田《にしだ》先生は飯島《いいじま》よし子《こ》を呼《よ》びだし、職員《しょくいん》室《しつ》へ連れていった。あんのじょう、よし子は、解答《かいとう》の丸写《まるうつ》しをテストに書きこんだのだった。西田先生はよし子を詰問《きつもん》し、すべてをきいた。それも、真相《しんそう》以外《いがい》のうそまでくわわった告白《こくはく》をきいたのである。

よく日《じつ》の朝、西田先生は教室にはいってくるなり、青い顔をして菜々《なな》と梢《こずえ》を呼《よ》びつけた。教室のみんなは、きのうのよし子といい、今朝《けさ》の西田先生の態度といい、なにかが起こったことを察知《さっち》した。

「おい、汐沢《しおさわ》、あいつらなにやったんだよ」

信也《しんや》が不審《ふしん》そうにかおりにたずねたが、かおりは首を横にふっただけで、だまって心配そうにふたりの出ていった教室の出口をみつめていた。

もうこうなれば、ねんぐのおさめどき。いままでにない苦《にが》い思いが口のなかにひろがったが、ふたりは西田先生のあとについて職員室にはいると、だまって西田先生の顔を見上げた。

「おれはな……、おれはおまえたちみたいなくさった人間は見たことがない!」

西田《にしだ》先生のこめかみにうい た青い筋《すじ》がピクピクふるえている。ふたりはじっとだまって下をむいた。しかし、その後きいた話のあまりのことに、ふたりはからだじゅうがふるえ、しばらくは口もきけなかった。

「まったくそらおそろしいよ。飯島《いいじま》のやりかたはまだかわいげがあるが、おまえたちのはなんだ、え? 川辺《かわべ》菜々《なな》90点、本居《もとい》梢《こずえ》93点。よくしくんだもんだ! そのうえまる写しはせず、自分の考えたようにうまく書いてるじゃないか。おれはあやうくだまされるところだったよ」

菜々の策略《さくりゃく》は裏目《うらめ》に出てしまった。しかしまだそこまではよかった。

「そのうえ、とめる飯島をたたいて、なかまにひきずりこみ、おれにいったらリンチにかけるといったんだってな!!」

ふたりはあまりのことに呆然《ぼうぜん》とした。なにがなんだかわからない。どうしてこんなことになったんだろう。

「ウソです!」

梢が泣《な》くようにさけんだ。

「カンニングはしました。すみません。でも」

「うるさい！　なにがでもだ、弁解《べんかい》や告《つ》げ口《ぐち》はするなといつもいってるのをわすれたか！」

目のまえがまっくらになるというのは、こういうことをいうのだろう。菜々《なな》は、西《にし》田《だ》先生の怒鳴《どな》り声のなかでつぶやいていた。

（しんじられない……、あんなひとがいるなんてしんじられない）

梢《こずえ》は、母の泣《な》くすがたを思ってからだじゅうがこおっていくようだった。

（どうしてあたしはこうなんだろう。いつもこんなふうになる。いつもだめになる。ごめんなさい、お母さん、お父さん）

このことだけは、どうしてもだまってすますわけにはいかない。まつばぼたんの植《う》え込《こ》みの前をよし子《こ》が歩いてくるのが見えると、菜々と梢は同時になにもいわずにとびだした。

カンニングをしたことは許されないことだ、なにをいわれても自分たちが悪いのである。しかし、よし子のしたことは、それ以上にひどいことではないか。よし子は、ふたりを見るなりおどろいてあとずさりをした。

「な……なによ」

菜々《なな》はこみあげてくる言葉をぐっとのみこみ、梢《こずえ》にささやいた。

「梢、ここは職員室《しょくいんしつ》に近いし、ただ話をするだけよ。私たち、暴力《ぼうりょく》なんてふるわなかったし脅迫《きょうはく》だってしなかったってことを、ちゃんと飯島《いいじま》にいわせることが目的なんだからね」

梢はわかっているのかわかっていないのか、ただまっ赤な顔でうなずいた。菜々が冷静《れいせい》なふうに口をきった。

「飯島さん、どうしてあんなうそいったの?」

「なによ」

よし子《こ》はふるえている。

「うそじゃない、私たちがいつあなたをたたいたのよ」

「たたいたじゃない」

梢はもうだまっていられないというように、大声をだした。

「いつ! どこをたたいたってのよ、え!」

よし子《こ》はもう、半泣《はんな》きをしている。

「泣けばいいと思って、ひきょうもの」

「ひきょうもの！　うそつき！」

しかし、よし子はただ泣くばかりで、けっして自分のしたことを訂正《ていせい》するようすはなかった。

「私たちが無理《むり》やりひきずりこんだって、どういうことよ！」

菜々《なな》はあまりの怒《いか》りでひざが、ガクガクふるえてくるのを感じた。よし子はこたえず、ただあとずさりをつづけた。よし子の頭のなかに、きのうの西田《にしだ》先生の言葉がひびいてきた。

「飯島《いいじま》、泣かんでいい。ほんとうのことをいえ、おまえがそんなことをする生徒でないことは、おれはちゃんとわかってる。川辺《かわべ》と本居《もとい》がおまえを引きずりこんだんだろ？　え？　こわがらんでいいからいいなさい。どうだ？　たたいたりしたのか？たたいて引きずりこんだんだな？」

よし子は、そこまで西田先生がいったとき、コクンとうなずいてしまったのだ。なんとなくそういわれているうちに、そんな気がしてきてしまい、自分の罪《つみ》がなくなるというふしぎなこの状態《じょうたい》を、無理にひっくりかえす気はおこらなかった。

「いいなよ！　うそつき！　コウモリ！　おまえとなんか友だちになるんじゃなかった！　おまえなんか、一生ひとりでいればいいんだ！」

梢《こずえ》の言葉をはねのけるように、よし子《こ》はどなった。

「なぐったじゃないよ！　あんたたちがおどかして、カンニングさせたのよ！」

にぎったこぶしの爪《つめ》が、菜々《なな》のてのひらにめりこんでくるのがわかった。手がふるえてくる。菜々は校庭の土を見つめ、頭のなかでよし子をなぐった。てのひらで、こぶしで、メチャメチャになり、立ちあがることができなくなるほどなぐっていた。

パチン！

（やった……）

やっぱりたたいてしまったと、我《われ》にかえった菜々のこぶしは、腰《こし》の下のほうにきちんと二つそろってあった。

梢を見たら、まっ赤な顔をしてまっ赤な目に涙《なみだ》をあふれさせ、立っていた。そのむこうに、倒《たお》れてほおをおさえたよし子が声をあげて泣《な》いている。まわりに助けを求めるように、おおげさに声をあげて泣いて見せている。

梢《こずえ》がはっとした表情になり、菜々《なな》の顔を見た。その目には驚《おどろ》きと謝罪《しゃざい》があらわれていた。そして、くやしそうにもういちど、よし子《こ》を見た。

足音が近づいてくる。職員室《しょくいんしつ》の窓《まど》がひらいた。西田《にしだ》先生の、「どうした」という声が、勝ち誇《ほこ》ったようにきこえてくる。

梢が下をむくと、涙《なみだ》がポタポタ土の上にしみこんだ。

「ごめん……ごめん……」

梢はその言葉をいいつづけていた。

菜々は梢の手を強くにぎった。梢もその手を強くにぎりかえした。ふたりは手をつないで両足でしっかりと校庭を踏《ふ》みしめた。ふたりの影《かげ》が遠くにのびていった。その影は校庭をつっきって、正門にかかるところで、たくさんの大きな影にのみこまれ、わからなくなった。

次の日、学校にいくと、教卓《きょうたく》のまん前にあった梢の机《つくえ》がなくなっていた。菜々と梢は顔を見あわせた。クラスのみんなは、わざと知らないふりをして、それぞれにしゃべっている。かおりがひとりぽつんとふたりを見ていたが、その視線《しせん》はすっとなにかを知らせるように教室のうしろへうごいた。

ふたりがかおりの視線《しせん》を追うと、うしろむきにおかれた二つの机《つくえ》といすが、みんなの机とは、すこしはなしておかれていた。ふたりは、くちびるをかみしめてみんなの机のあいだをとおり、その場所へいった。こんなときこそ、どうどうとしていなくてはみじめになる。

ふたりは、両手で机を持つと、おおげさに高くふりあげ、ドスンと大きな音をたてて、机のむきをなおした。

知らないふりをしてしゃべっていたクラスのみんなは、いっせいにだまるとふたりをじっと見た。ふたりもそれに抵抗《ていこう》するように、見かえした。

「飯島《いいじま》さんやすんでるわよ」

原田康子《はらだやすこ》が、いや味《み》っぽくあたりを見ずにいった。

「きょうは、算数のテストがあるぜ」

木村誠《きむらまこと》が、ふりむくとふたりにいった。かおりが、急に大声をだした。

「やめなさいよ！」

「さすが汐沢《しおさわ》さんね。いいときにふたりと友だちやめてよかったわね」

河合《かわい》めぐみが、かおりにいった。かおりがまっ赤になって立ちあがると、高木慎二《たかぎしんじ》が大声をだした。

「先生がきたぞ！」

その日はとうとう、ふたりはだれとも口をきかず、みんなの視線《しせん》といや味《み》にがまんするだけでせいいっぱいだった。六時間目が終了《しゅうりょう》すると、ふたりはほっとしたように帰りじたくをし、校門をくぐった。

「かおり……」

校門の前にかおりが立って、ふたりを待っていたのである。かおりはさきに立って歩くと、体育館裏《たいいくかんうら》の原っぱへふたりを連れていった。

草むらのなかで、かおりと、菜々《なな》と梢《こずえ》はむかいあって、すこしはなれて立った。草いきれが三人をつつむ。風が吹《ふ》くと緑の草が、波のように揺《ゆ》れた。すこし間《ま》をおいて、かおりが思いきったように口をひらいた。

「私……、みそこなったわ。あんなことするなんて」

菜々は、くちびるをかみしめるとなにもいえなかった。なにも知らずに勉強していたかおりにこんなことをいう資格《しかく》はないと思いながらも、自分たちのしたことへの非《ひ》難《なん》には、なにもいいかえす言葉が見つからなかった。

梢《こずえ》は、口をぎゅっと結んでかおりの言葉に耐《た》えているようだったが、その目に涙《なみだ》がとつぜんわきあがると、さけぶようにいった。

「いろんなことができて、いろんなものを持っているひとは、正しいことばっかできるよ！　まちがったことなんか、しないですむよ！　かおりなんかにあたしの気持ちがわかるもんか！」

そして、そのまま梢はくるりと身をかえし走っていった。

「梢！」

菜々《なな》も、すぐに梢のあとを追って原っぱからすがたをけした。かおりは、原っぱの緑の波のなかにひとり残され、ぽつんと立っていた。

「かおりなんかにあたしの気持ちがわかるもんか！」

かおりの耳のなかに、梢の言葉がいつまでも鳴りひびいていた。

あれから、一学期の終業式《しゅうぎょうしき》の日まで、よし子は一日も学校にすがたは見せず、菜々《なな》と梢《こずえ》も毎日暗い気持ちですごした。終業式の当日、西田《にしだ》先生は通知表《つうちひょう》をわたしながら、菜々と梢にささやいた。

「いいかきょう、夏休みの登校日《とうこうび》に、おまえたちのお母さんにきてもらうように電話をする。だがその日まで、くわしいことはだまっててやるから、そのあいだに海とか遊びに連れていってもらうんだな」

ふたりはそれにはなにもこたえず、だまって西田先生やクラスメートのつめたい視《し》線《せん》のなかからぬけだすように学校を出た。

梢はなんとなく、事件後《じけんご》からしじゅう胸《むね》に手をあてているようになった。

「苦しいの?」

菜々がそうきくたびに、梢はてれ笑《わら》いをしてこたえた。

「うん、なんかね。心臓《しんぞう》が悪いんだって思うせいか、へんにそう感じるようになっちゃってさ。いまは、走ったときよりもっとみょうなぐあいに苦しいよ」

菜々は、よくわかるといったふうにうなずいた。いまは菜々の心臓にも穴《あな》があいているように思えた。

とうとうふたりきりになってしまった。

だれもしんじてくれるひとはいないだろう。よし子が登校拒否《とうこうきょひ》をすればするほど、みんなの同情は集まり、ふたりへの非難《ひなん》は大きくなる。ほんとうは、そんななか、学校へかようほうがよっぽどつらいのに、そのことはだれもわかってくれない。あれから、かおりもふたりとは目もあわせないようにしているようだった。ふたりには、これからどうすればいいのか見当《けんとう》もつかなかった。

しかしこのまま日がすぎて八月十五日の登校日《とうこうび》がくれば、菜々《なな》と梢《こずえ》の母は学校へ呼《よ》びだされ、すべてと、うそまで吹《ふ》きこまれてしまうのだ。ここまでくれば、しんじてもらおうにもとても無理にちがいない。これ以上悪いことは、もう一生起こらないだろう。楽天家《らくてんか》の菜々も梢も、今回ばかりは冗談《じょうだん》のひとつもいえない気分だった。

「あーあ、やけ酒《ざけ》っていうの飲《の》みたい気分だね」

「まったく」

ふたりは、すこしわらうとそのまま、このあとのことはすこししてから考えることにして別れた。梢は、左手を胸《むね》にあてたまま、右手で菜々に手をふった。

菜々は梢のすがたが坂の下に消えるのを待ってから、上水《じょうすい》べりにむかって歩いていったが、とちゅうでなんとなく引きかえすことにした。八月十五日に母はどんな顔をして帰ってくるのだろうと思ったとたん、家に帰る気がしなくなったのだ。

これまで、母はなんどとなく菜々《なな》のことで職員室《しょくいんしつ》に呼《よ》びだされてはいたものの、そのことはいつまでたっても菜々に、ひとこともいわなかった。まさか、職員室にいって、西田《にしだ》先生たちと世間話《せけんばなし》をしてくるわけもないから、母はずいぶんいろいろな苦情《くじょう》をいわれているにちがいない。

それにもかかわらず、菜々にはなにもいわずにいるのだ。いちど、菜々がそれとなく話をもちかけてみたとき母は、ちょっとほほえんで、こういった。

「そうよ、いろいろきいてるわよ。菜々、知ってる? ほんとうに強いひとっていうのは、やさしいひとのことというのよ。弱い子をいじめたりするようじゃ、まだまだ菜々も強いひとにはなれませんね。お母さんは菜々にも、勇《いさむ》にも、ほんとうに強いひとになってほしいんだけどもな……」

菜々が、だまって母を見ていると、母はパチンとウインクをして台所へいってしまった。菜々はなにか、感動してしまい、その日はトイレの掃除《そうじ》までしてしまった。

その母も、きっとその日に菜々を見すてるだろう。父も母も卑劣《ひれつ》なことと、ませたことだけはきらいだということを、菜々は知っていた。両親からもつめたい目で見られると思うと、それだけは耐《た》えられないと思った。

菜々《なな》はどうしたらいいのか、頭のなかがぐるぐるまわるようで、いくら考えようとしてもなにも考えられず、とつぜん小学校一年生のときのことや、祖母《そぼ》のことなど、まったく関係のないことを思いだす頭をポカンとたたいた。

「だめだ、頭が考えたがらないや」

菜々がひとりごとをいっている自分に気がついたとき、目の前はいつのまにか学校の裏《うら》の神社の森になっていた。急な階段《かいだん》の上の空で、大きな枝がざわざわと揺《ゆ》れている。緑の葉のざわめきを見ているうちに、なにか甘《あま》い香《かお》りがただよってきた。菜々は胸《むね》があまずっぱくなってくるのを感じた。遠くでだれかがじっと菜々を見ているような気がした。

「くちなしがまだ咲《さ》いてるんだ……」

そう声にだしたとたん、菜々は作郎《さくろう》のことを思いだした。作郎だけは、このことを知らない。菜々にはそれが救いだった。菜々の頭のなかに澄《す》んだ作郎の目がうかぶと、菜々の気持ちは、いくらかやわらかくなっていくような気がした。しかし、その目はそれと同時に菜々になにかを問いかけているようにも思えた。

（ごめんなさい、ごめんなさい）

菜々《なな》は、すがたのない作郎《さくろう》にあやまりつづけた。菜々は作郎に好《す》かれる資格《しかく》のない自分が、悲《かな》しかった。

北海道《ほっかいどう》の広い草原にぽつんと作郎が立っている。緑の地平線《ちへいせん》の向こうから赤い電車が走ってくる。赤い電車は作郎のうしろで音もなくとまり、作郎は菜々のほうをむいたまま、電車に乗りこんだ。ガラス窓《まど》の向こうから、作郎は手もふらず菜々を見、赤い電車は、赤い夕焼《ゆうや》けにむかって走っていく。

作郎はそのまま、やっぱりなにもいわなかったけれど、菜々は作郎の濃いまつ毛《げ》と二重《ふたえ》の目は、おばあさんになってもわすれないだろうと思った。もういちど甘《あま》い香《かお》りの風が吹《ふ》き、作郎は夕焼けのなかに消えた。

菜々は、なんとなく涙《なみだ》でにじんだような目を、てのひらでこすると、階段《かいだん》をのぼっていった。階段のとちゅうで空に目をやると、急に吹《ふ》きはじめた強い風で、緑の波が空のなかでうねっているように見える。しばらくその波を見ていたら、なんとなく自分も揺《ゆ》れているような気がして、バランスがくずれた。菜々ははっとして手すりにつかまった。血《ち》がのぼったり、下がったりした。

「あー、こわかった」

そういって、顔をあげた菜々《なな》は、はっとして口をおさえた。賽銭箱《さいせんばこ》の横の階段《かいだん》に田《た》丸《まる》先生がすわっていたのだ。

田丸先生は菜々の存在など気がつかないようで、うつむきかげんに放心《ほうしん》した表情のままじっとしていた。菜々は、田丸先生のようすがふつうとちがうような気がして声をかけた。

「田丸先生」

田丸先生はビクッとしたようにし、あわてて腰《こし》をうかしたが、菜々のすがたを見つけると、その場から、菜々を手招《てまね》きして呼《よ》んだ。菜々が近づいていくと、田丸先生は自分のとなりを指《ゆび》さし、すわるようにうながした。

菜々はなにかいわれるのかと思い、胸《むね》が悪くなるような気がしたけれど、田丸先生はなにをいうわけでもなく、菜々のことなどもうわすれてしまったかのように静かにどこかを見ていた。菜々は田丸先生の横顔を見ながら、父のことを思いだした。菜々の父は、いまの田丸先生のように、無口で静かなひとである。

「田丸先生」

「ん？」

「先生の子ども、いくつ？」

田丸《たまる》先生は、とつぜんの質問にとまどったような顔をしてからこたえた。

「いないんだよ」

菜々《なな》はしんじられない気がした。頭のすこしはげかかった男のひとに子どもがいないというのが、とてもふしぎな気がした。すこしふとったおばさんや、田丸先生みたいなおじさんには、春になると、かならずタンポポが咲《さ》くように、子どもはかならずいるものと思っていたのだ。

田丸先生が、まぶしそうに空を見上げるのをとなりで見ながら、菜々は、先生が寂《さび》しくてすこしだけ菜々とにたような気持ちでいるのがわかった。なぐさめてあげたいような気がして、いっしょうけんめい頭のなかで言葉をさがした。職員室《しょくいんしつ》でも、いつもひとりでいるような田丸先生のすがたがぽつぽつと目のなかにうかんでは消えた。

そのうち、先生は両手をにぎりあわせ、ひざの上におくと、菜々のほうにふりむいた。

「川辺《かわべ》……」

菜々のなかで、そのとたんなぐさめる気持ちが蒸発《じょうはつ》した。お説教《せっきょう》かと思うと、うんざりして逃《に》げだしたくなった。これ以上、なにももうききたくないのだ。

「川辺《かわべ》は好《す》きなものがあるか?」

菜々《なな》はキョトンとして、田丸《たまる》先生の顔を穴《あな》のあくほど見た。なにをいわれたのかよくつかめなかったのだ。

「好きなものや、好きなひとがあるっていうことは、すごいことなんだよ」

菜々の頭のなかに、作郎《さくろう》がうかび、菜々はあわてて、両親や梢《こずえ》や本などを続けざまに数えあげてみた。

「自分の好きなものが見つかったら、そのことにうちこみなさい。ほんとうに好きなものがあるひとには、苦しいことや悲《かな》しいことも、それほど大きな痛手《いたで》をあたえることはできないんだ。好きなものがあるっていうことは、すごい力を持ってるのとおなじだからね」

菜々は、先生のいっていることが、よくわかるような気がした。

「生きることはたいへんだけれど、どんなこともこわがることはないからね。自分が正しいと思うことをしなさい。男だって、女だってそれはおなじなんだから」

先生は、そこで言葉をきると、なにもいわなくなった。田丸先生がこんなに長く、自分の考えていることをいったのは、はじめてのことのような気がした。

（先生には、好《す》きなものがないんですか？）

そう心のなかできいてみた。先生の寂《さび》しそうな横顔は、菜々《なな》の質問にうなずいているようだった。

「先生、私……田丸《たまる》先生好きです」

先生は、えっといってふりむき、しばらくしてから、うれしそうにわらった。そして、

「そうか、そうか」

といい、菜々の頭を二回、ポンポンとやさしくたたいて、立ちあがった。それから、菜々をそこに残し、なにもいわずふりかえりもしないで、神社の階段《かいだん》をおりていった。

先生のすがたが見えなくなっても、コトンコトンというくつ音だけがいつまでもきこえ、そのうちそれもきこえなくなった。

菜々はひとりぼっちで空を見あげた。アゲハチョウが一ぴき目のまえをとおりすぎた。

8 公園《こうえん》での決意《けつい》

菜々《なな》や梢《こずえ》の気持ちにはかかわりなく、夏休みはすぎていく。とはいっても菜々にとってはつらかった夏休みの前の二週間よりかえって楽しいくらいだった。

夏休みの第一日目には、さっそく母から、西田《にしだ》先生の呼《よ》び出《だ》しについて質問があった。しかし、菜々がうちあける決心のつく前に、ぎゃくに母の思いこみでいつものいたずらかなにかだろうと納得《なっとく》されてしまった。そしてその後も、告白《こくはく》しようと母の顔を見るたびに、菜々は言葉につまり、明日《あす》にしよう、八月になってからにしよう、あと一秒記録がちぢんでからにしようと、ぐずぐず、のびのびにしていたのである。

菜々は、毎年おこなわれる分区《ぶんく》の水泳大会にむけて夏休みの集中《しゅうちゅう》訓練《くんれん》をうけている。この大会はおなじ区のなかの各小学校からえらばれた選手が、いちどうに会《かい》し競《きそ》いあう大会である。

梢《こずえ》のいなくなったいま、森《もり》の下《した》小学校の上位《じょうい》くいこみはあぶないところにあった。

そして、梢の代わりとして期待《きたい》されるのが、菜々《なな》というわけなのだ。プールサイドの仲間《なかま》たちには、信也《しんや》や慎二《しんじ》がはいっているのにもかかわらず、あの事件《じけん》は知らされていないらしく、そのことで菜々を避《さ》けるものはひとりもいなかった。

しかし、わすれてしまえばすむこととはちがい、いつかは頭をもたげる日がくる。

そして、それはやっぱりやってきた。

問題の八月十五日にあと三日とせまった日の正午《しょうご》、その日は菜々と梢は知らないことであったが、西田《にしだ》先生が日直《にっちょく》として職員室《しょくいんしつ》に出勤《しゅっきん》していた。

梢は、菜々とちがい悩《なや》みをスポーツで発散《はっさん》させることもできず、なんとなくひとりでいるのも苦しい感じで、特訓《とっくん》ちゅうの菜々に会いに学校にきた。焼けつくような校庭の上を歩いていると、去年《きょねん》の夏がよみがえった。しかし、その思い出にひたりこむ寸前《すんぜん》、菜々の声が梢の耳にひびきわたった。

「こずえ――」

菜々が、校舎《こうしゃ》から梢のところに走ってきた。菜々も梢の気持ちを察《さっ》し、午後からも練習はつづくのに、梢に水着すがたは見せまいとして、きちんと着がえ、青いショートパンツで梢《こずえ》の前にあらわれた。

「どう、練習?」

「うん、まああ」

ふたりは日なたをさけて、校舎《こうしゃ》のかげにはいると、ポツポツ、十五日の話題《わだい》をもちだしはじめた。

「あと三日だね」

梢は、麦《むぎ》わら帽子《ぼうし》のつばのなかでつぶやいた。菜々《なな》は、決意《けつい》したように梢の顔を見た。

「梢、きょう練習終わったら、梢の家に私いく」

「どうして?」

「きちんと、ふたりで話そうよ、梢のお父さんとお母さんに。それから私のとこにもきて」

「……」

「私も、なんども話そうと思ったんだけど、ひとりだと勇気がでないの。ふたりならいいたいこときちんといえると思う。梢のお母さんも私がいれば、話が終わる前におこることできないと思うし、うちだって梢《こずえ》がいればだまって最後まできいてくれると思うの」

「そーか、ほんとは、あたしも毎日いおうと思って、くじけてたんだ」

ふたりの顔はみるみる明るくなった。

「すごく反省したよね、私たち」

「うん、もうあんなことしないよ、ぜったい」

「きっとわかってくれるよね。クラスのみんなのことは、ふたりで仲良《なかよ》くしてわすれよう。それに津田《つだ》くんも高木《たかぎ》くんも、プールの仲間《なかま》にはだまっててくれてるみたいなの」

「へー、いいとこあるじゃん」

「ね、それにあと八か月だけだもん、八か月たてば、私たち中学生だし、ハマグリともバイバイなんだから」

「そーか！　八か月で小学生とはお別れだ」

ふたりは、目の前が急に明るくなり、梢の顔にも以前のまんまる笑顔《えがお》がもどってきた。ふたりはひさしぶりにわらいながら、大声をだした。

「あと八か月、八か月たてば自由の身！」

ふたりがそうさけんで、手をとりあったそのとき、目の前にすっとまっ黒な影《かげ》があらわれた。ふたりはいやな予感《よかん》がして、ゆっくりと影の根もとを目で追った。茶色のサンダル、グレーのズボン、白いかいきんシャツ、そして、その上には見たくもない顔がのっていたのだ。真夏の昼の悪夢《あくむ》。

「おまえら、ほんとに反省っていうものを知らんのか。八か月たてば自由の身だと、とんでもない話だ。中学にいくまでと思うなよ。内申書《ないしんしょ》に書いてやるからな。入学と同時に要注意《ようちゅうい》人物《じんぶつ》として見てもらうようにしておく」

いまのふたりには、夏の強い日射《ひざ》しも、もうときどきはしなかった。菜々《なな》と梢《こずえ》をとりまくすべてが、どろりとした黒いコールタールになって、ゆっくりとおしよせてくる気がした。それは目に見えないくらいのゆっくりした速度で確実《かくじつ》にむかってくる。そしてそれは、ついたら最後しみついてとれない汚《よご》れになり、ふたりをまっ黒に染《そ》めてしまうのだ。

なにも反論《はんろん》しないふたりを見ると、西田《にしだ》先生はまんぞくしたように去っていった。

「梢……」

「菜々《なな》……」

ふたりは、あまりのことに話す言葉も見つからなかった。やっと見つけた明るい光をつかみかけたやさき、それは無惨《むざん》にもひどい仕打《しう》ちで、とざされてしまった。とにかくふたりは、なんとかしなくてはならないと思った。

「梢《こずえ》、いま、私はあんまりくやしくてなにも考えられないの」

菜々は、おし殺《ころ》したような声をだした。

「あたしも、もうなにがなんだかメチャクチャだよ」

「頭ひやしてから、会おう」

「うん、じゃ、公園で三時に待ってるよ」

「三時に公園ね」

ふたりはうなずきあうと、菜々は更衣室《こういしつ》に走っていき、梢はまた左手で心臓《しんぞう》のあたりをおさえながら校門へ消えていった。

菜々はプールにとびこみ、泳ぎながら頭はさっきの話でいっぱいだった。

どうにか良い方法、なにか救われる方法はないかと考えたが、中学校にまで、この事件《じけん》をもちこまれることを想像しただけで目のまえがまっ暗になった。八か月の忍耐《にんたい》さえむだになったいま、もうすべはなかった。菜々《なな》はある決心をして水からあがった。

「川辺《かわべ》、もっとまじめに泳げ」

体育の太田《おおた》先生が菜々をにらんだが、菜々はそれどころじゃないとにらみかえして、そのままプールサイドから出ていった。


三時にはすこし間《ま》があったが、公園にいってみると、梢《こずえ》がブランコに乗っていた。

「早かったのね」

「うん、うちにいてもあんまりいい考えうかばないじゃん」

菜々は、期待《きたい》を持って梢を見つめた。

「で、ここにきてうかんだ？」

「しずんだ」

ふたりはふっとわらいそうになって、わらっている場合ではないと、ほおをひきしめた。

「どうせ立《た》ち聞《ぎ》きすんならさ、最初っからきいてくれりゃいいんだよ。最後のとこだけきいて、内申書《ないしんしょ》なんていわれたら、もうどうしようもないじゃん」

「ほんと！　ハマグリって私たちのこと憎《にく》んでるとしか思えないね。あの言いかたヤクザみたいだったもん」

「あいつ、ヤクザの出かもよ」

「そのかわりに、女の先生の前だとこびてるよ」

「じゃ、チンピラ」

ふたりはなんとなく話をしなくてはならないことを避《さ》けたくて、雑談《ざつだん》をしばらくつづけたが、覚悟《かくご》をきめたように梢《こずえ》がきりだした。

「あたしたち、もうここにいられないよ」

菜々《なな》は、迷《まよ》っているといったふうだったが、うなずいた。

ふたりはそれからなにもいわずにブランコをこいだ。空が近くなったり、遠くなったり、頭をそらすと地球が揺《ゆ》れた。菜々は頭をそらしたまま梢にきいた。

「梢、いくらお金持ってる？」

梢は静かな声でこたえた。

「おとし玉《だま》そのまま貯金《ちょきん》してあるのが二万五千円と、あと貯金箱にすこし」

そういうと、梢は菜々に郵便貯金《ゆうびんちょきん》と書いてある通帳《つうちょう》を見せた。菜々は、梢が家を出るときからそこまで考えていたことを知り、自分以上に、梢《こずえ》がせっぱつまった気持ちでいるのがよくわかった。

「私は、天体望遠鏡《てんたいぼうえんきょう》を買おうと思ってためてたお金が三万七千円……たしかあると思う」

「遠くにいけるかな？」

「ずいぶん遠くにいけるんじゃない」

西の空が赤く染《そ》まりだすと、ふたりはやけに悲《かな》しくなって、公園で話すのはうちきり、梢の家にいくことになった。

梢の家にいくと、おくで梢の母がニコニコしてあいさつをした。菜々《なな》は、自分がなんのためにここにきたかを思うと、梢の母の顔がよく見られない気持ちになってしまった。

「船に乗ったことある？」

「いちど、千葉《ちば》の親戚《しんせき》のところにいったよ」

「私もいちど、伊豆《いず》にいったことはあるの」

下で、梢の母がミシンをふんでいる。それはいつまでもつづき、やわらかくすこしけむたくつたわってきた。ふたりはだまってミシンの音をきいていた。

「船でいくの?」

梢《こずえ》がどうしてだろう、というふうにきいた。

「そのほうが、なんか良くない? 決まりがつくって感じしない?」

「海をわたって出発だから?」

「そう」

「そうだね。船がいいかもね」

ふたりの計画はなかなか進まない。

社会科の日本地図を調べたけれど、どの地名もなんとなく気にいらなくて、そこにいこう! という気が起こらない。ふたりとも東京《とうきょう》生まれの東京育ちで、関東《かんとう》から一歩も外へ出たことがなかった。

「北と南どっちいくか?」

菜々《なな》が決めかねて、あてっこのようにいった。

「南!」

「じゃ、九州《きゅうしゅう》にいこう」

菜々《なな》は、とつぜんそう宣言した。梢《こずえ》はちょっとびっくりしたような顔をしてからうなずいた。

近くでは、かならずみつかってしまう。菜々の両親も、梢の両親も、ふたりがいなくなればひっしでさがすにちがいない。連れもどされれば、ふたりの未来《みらい》は西田《にしだ》先生にだいなしにされるのだ。菜々はそれでもまだ、健康だからがまんもできる。汚名《おめい》をばんかいすることだって時間をかけてできる自信はある。でも梢は、もしかしたら、そんな時間もないのかもしれないのだ。

梢がそっと、父の部屋《へや》から時刻表《じこくひょう》をとってきて、それを見ると後のページに、川《かわ》崎港《さきこう》から九州《きゅうしゅう》の日向港《ひゅうがこう》にいく長距離《ちょうきょり》フェリーのあることがわかった。

出発は八月十五日の登校日《とうこうび》に決定した。登校日にしたのは、騒《さわ》ぎが大きくなることをおそれたのと、どうどうと顔を見せて消えるということからだったが、ふたりとも口にはださないながら、かおりに最後に会うチャンスであるということが頭にうかんだのだった。船の出発は川崎港を夕《ゆう》がたの六時だから、待ち合わせは、三時ということになった。

その日は、そこまで決めるともう六時をすぎていたので、菜々はあとは電話で話すことにしようといって、とんで帰った。

八時半に梢《こずえ》の家に電話があった。もちろん菜々《なな》からの電話である。菜々はあれから、もう荷《に》づくりをしたということで、話は荷物の運搬《うんぱん》が問題となった。

「いくらなんでも、家を出るのには大きくてめだちすぎちゃうの」

「そんなにでかいの?」

「だって、もう二度と帰ってこないんだもん。いろいろ詰《つ》めたらけっこうの大きさになっちゃった」

菜々はそういって小さくため息《いき》をついた。

「ぜったい、家から出る前に見つかっちゃう」

菜々の絶望的《ぜつぼうてき》な声に、梢もはたと考えこんでしまった。電話口でひどい音がし、菜々はびっくりして受話器《じゅわき》に話しかけた。

「どうしたの? 梢! きこえますか? もしもし、どっかいたいの!?」

「もしもし、ちがうよ。いま、猫《ねこ》が金魚鉢《きんぎょばち》ひっくりかえしたとこ。おかげで名案《めいあん》がうかんだ」

「なに?」

「ぜったい、確実《かくじつ》なのが思いついたよ。あたしんちの前の通《とお》りのかどに自転車屋があるじゃん」

菜々《なな》は、梢《こずえ》の家のまわりを思いうかべながらうなずいた。

「あそこのおじいちゃんとあたし、仲良《なかよ》しなんだ。あたしのいうこと信用《しんよう》するし、話わかるしね」

「でも、なんていうの？　いくら話わかるったって、家出《いえで》はべつじゃない？」

「ばーか、そんなこというわけないじゃん。友だちとふたりで旅行《りょこう》したいんだけど、親が心配していかしてくんないから、協力してほしいっていうんだよ」

「協力してくれるかな？」

「へいき、へいき、近ごろの親は過保護《かほご》だって、いつもいっているしさ、ぜったいへいき」

ふたりはなんとなく強い味方《みかた》ができたようでうれしかった明日《あす》の朝に梢が自転車屋のおじいさんに協力を頼《たの》みにいくことになり、夕《ゆう》がた、荷物をはこぶという手はずを一方的《いっぽうてき》にふたりで決めた。ふたりは、なんだか悲《かな》しいよりも楽しみになってしまい、家出だかなんだかわからなくなっていた。

分区《ぶんく》の水泳大会に出ることも、もうない。窓《まど》の外では、あぶら蟬《ぜみ》が殺《ころ》されそうな声で鳴いている。次の日菜々《なな》は、好《す》きだった水泳の思い出に、もういちど特訓《とっくん》に顔をだすことにした。

「菜々」

菜々が水着に着がえながらふりむくと、女子更衣室《じょしこういしつ》に指定された教室の入り口にかおりが立っていた。菜々はとつぜんのことにびっくりして、窓から逃《に》げだすことまで考えた。かおりはゆっくり歩いて、窓の前のはりだしにひょいとすわった。菜々はドキドキする胸をおさえ、そしらぬふりで、水着をきちんと着た。

「ねえ、菜々」

「……」

「菜々たち飯島《いいじま》さんにリンチなんかほんとにしたの？　うそでしょ、してないわよね」

「かおりはどう思うの？」

「してないってしんじてるけど……」

「しんじててよ、かおりは……じゃ、さよなら！」

菜々《なな》はタオルをせおって、教室からとびだすと、はだしで廊下《ろうか》を走っていった。

だれもいない教室の床《ゆか》が黒く光っている。どの教室の窓《まど》もしめきってあり、校舎《こうしゃ》ぜんたいから陽炎《かげろう》がのぼっていきそうな暑さである。せおったタオルがバタバタいうのもかまわず、階段《かいだん》を一段ぬかしで駆《か》けおり、太陽のきらめく校庭へとびだした。

はだしの足に校庭のやけた砂がいたかった。目のはしに、追いかけてきたかおりのすがたがうつったけれど見えなかったことにして、どんどん走った。かおりはずっと菜々を見ているようだった。

シャワーをあびて、ビート板《ばん》をそっと持って二コースのうしろにならんだら、教頭《きょうとう》の吉沢《よしざわ》先生が近づいてきた。

（まずい……）

と思ったら、あんのじょう、コースから引っぱりだされて、ひとりで準備運動《じゅんびうんどう》をみんなの倍やらされた。二十五メートル泳いで水をしたたらせたみんなが、クスクスわらって前をとおりすぎる。信也《しんや》が白帽《しろぼう》に水をいれて、体操《たいそう》をしている菜々にひっかけた。

菜々《なな》がビート板で、信也《しんや》の頭をたたいたとき、プールサイドが急にざわめいた。菜々が顔をあげると梢《こずえ》が見学台に立っていた。選手をおりてから、はじめてのことである。表情はかたかったが、菜々やみんなに手をふっていた。菜々はプールサイドを走ると、四コースに立った。梢にむかって手をあげると、いきおいよくとびこんだ。

菜々の紺《こん》の水着がプールの表面をすべるようにしてあらわれ、水しぶきをあげて光る肩《かた》が水をきっていく。菜々は梢を思ってせいいっぱいの力をだした。いまが大会であるかのように、くるりと水中で、回転《かいてん》ターンをきった。菜々のビートは強く水面をたたき、小麦色の腕《うで》は、まっすぐのびて、青いプールの水をかいていく。

菜々は、水のなかを梢といっしょに泳いでいるような気がした。壁《かべ》にタッチして顔をあげると、見学台から梢は消え、プールサイドのみんなが菜々にむかって歓声《かんせい》をあげ、拍手《はくしゅ》をしていた。

みんなは、シャワーをあびて食事をするために教室へもどっていった。菜々はプール倉庫《そうこ》にかくれ、みんながいなくなったのをたしかめると、職員室《しょくいんしつ》から見つからないように、プールサイドをおなかではって、プールのなかにそっとはいった。

ひとりぼっちのプールは、みんなの体温《たいおん》がまだ残っていて、すこしあたたかかった。

首までつかって、「4」とかいてあるむこうの壁《かべ》を見ていたら、さっき、こっちを見ていたかおりのすがたが思いだされてきた。なんだか知っていたくせに、ふりむかなかった自分がいやになった。

その日の夕《ゆう》がた、菜々《なな》は家族に知られないよう、そっとスーパーの袋《ふくろ》に下着や本をつめこんだ。物置《ものおき》から、父の大きな濃《こ》いブルーのボストンバッグをさがしだすと、それもスーパーの茶色の袋におしこんだ。

「お母さん、買物あるー?」

菜々は、腕《うで》がちぎれそうになりながら、二つの紙袋《かみぶくろ》をさげ、鼻の頭に汗《あせ》をふきだしたまま、階段《かいだん》のとちゅうで、いつもどおりの声でいった。

「あ、いってきてくれるー、いま紙に書くから、ちょっと待ってて」

「はーい」

返事《へんじ》をしながら、階段を駆《か》けおり、菜々はいそいで玄関《げんかん》から出ると、用意しておいた自転車の荷台《にだい》と買物かごに荷物をくくりつけた。そして、それを植《う》え込《こ》みの横にかくした。菜々は、そしらぬふりで鼻の頭の汗をげんこでふき、台所へいった。

「いい、お魚は目がいきいきしてるのをえらんでね。白っぽくにごってる目の魚はだめよ。きらきらしているのにしてね」

「はい」

菜々《なな》は、母から買物の紙切れをうけとると、これが最後だという気持ちがこみあげ、買物のリストをくりかえし、読んで暗誦《あんしょう》してみた。

「あ、いいから、台所であらいものしてて」

菜々は見送りに出ようとした母を、あわてて台所におしもどし、庭《にわ》の砂場であそんでいる弟の勇《いさむ》が気づかないうちに自転車にまたがり、自転車屋さんにむかった。

かどの自転車屋さんが見えると同時に、店の前に立っている梢《こずえ》が目にはいった。

「うまくいった?」

「うん、万事《ばんじ》うまくいった。梢は?」

「じょうじょう」

ふたりはうなずきあうと、おじいちゃんにあいさつをしてから、倉庫《そうこ》にはいりこみ、ボストンバッグに荷物をつめこんだ。梢も父親のバッグらしく、セピア色の革製《かわせい》だった。ふたりは荷物のおおさにあきれたが、いくら点検《てんけん》しても、もうなにひとつおいていくものはなかった。

「じゃあ、あしたの午後三時ここね」

「わかった」

夕暮《ゆうぐ》れのあわい闇《やみ》のなかで、セピアとブルー、二つのボストンバッグが、かならず家出《いえで》をするように、と念《ねん》をおしているように見えた。

スーパーから買物をして帰ってくると、母が、梢《こずえ》から電話があったといった。菜々《なな》は、直感的《ちょっかんてき》にボストンバッグが見つかったにちがいないと思った。どうしよう、と思うはんめん、すこしほっとしたような気分で梢に電話した。

「なに？　見つかっちゃったの？」

「ううん、ちがうよ。へいきだよそれは。ただあたし、今晩《こんばん》どうしてもやりたいことがあんの」

「なに？」

「あたしさ、それやんないと、どうしても心残りでだめだと思うんだ」

「だからなによ」

「飯島《いいじま》をやっつける」

「またー、やめようよ。だめだってば」

「やだ！　ぜったいやだ。やだからね、気がおさまんないよ」

「うん、そりゃあ。こんなふうになったのはあいつのせいだしさ。階段《かいだん》からつき落としてふんづけてやりたいくらいだもん」

「でしょ」

「うーん……」

「やろうよ、やろっ。やろっ。やろ！」

「……やるか！」

「そーこなくっちゃ！」

梢《こずえ》が興奮《こうふん》のあまり、電話の向こうでなにかをこわした音がした。


「いい、私が呼《よ》ぶから、そこから投げてよ」

「まっかしとき」

梢は、アパートの入り口の右側にしゃがんでバクチクをふって見せた。ふたりは、ニヤッとわらい、菜々《なな》は明りのついているほうにむかって呼んだ。

「いいじまさーん」

なかから、はーいと声がして、出てくるようすがあった。菜々《なな》はいそいで入り口の右側にしゃがみこんだ。

ドアをあけ、よし子《こ》は、まわりをキョロキョロし、首をかしげながら、ちょっと出てきた。そして、完全にアパートの建物から出たとき、よし子はしゃがんでいる菜々に気づき、とっさに逃《に》げるようすを見せた。

そのとたん、バクチクの爆発音《ばくはつおん》がはねまわり、ぶつかりあい、それといっしょに、よし子の悲鳴《ひめい》が団地じゅうにひびきわたった。

菜々と梢《こずえ》は、さっと日を見かわし、とびだした。悲鳴をあげつづけているよし子の右ほおに梢が思いっきり平手《ひらて》打《う》ちをくらわし、よし子のほおが、左側にとんできたところを菜々がもう一発、たたきかえした。

そのあと、あちこちの窓《まど》があいたり、明りがついたりするなかを、ふたりはもうれつないきおいで逃げさった。

団地の一区画《くかく》をすぎるころ、ふたりは走る速度をゆるめた。梢は無事《ぶじ》である。ふたりはどちらともなく両手をにぎりあいその場をピョンピョンはねながら、グルグルまわりおなかのよじれるほどわらった。ひざこぞうのかさぶたが、ポロリととれたように気持ちがよかった。

これで、思い残すことはない。

夕食《ゆうしょく》にちょっとおくれて、菜々《なな》は父におこられた。菜々は急に明日《あす》のことが実感《じっかん》として感じられるようになり、なにを見ても涙《なみだ》が出た。お茶碗《ちゃわん》をうけとるとき、母の指にすこし、菜々のひとさし指が触《ふ》れた。すこしかたいけれど、あったかい指だった。白いごはんが目にしみた。湯気《ゆげ》が顔にあたる。泣《な》いちゃいけない、といいきかせるのだが、いうそばから熱《あつ》いものがつきあげて、頭の芯《しん》がぞうきんみたいにしぼられていく。

「なに下むいてるんだ。前をむいてしゃんとして食べなさい」

父がそういうから、そうしようと思うのだけれど前をむいたら、涙を見られてしまうのだ。

(泣かないで、泣かないで、泣かないで……)

いっしょうけんめいたのんだ。だれにたのむのかわからなかったけれど、菜々は心のなかでいいつづけた。

「きこえないのか、菜々《なな》」

「どうしたの？」

けげんな顔で、母が箸《はし》をとめた。

（もうすぐ、顔をのぞきこまれちゃう。そしたら、涙《なみだ》で破裂《はれつ》しそうな顔を見られちゃう）

「おなかでもいたいの？」

あと三十センチ。菜々は足をくずすと、すばやくとなりにすわっている勇《いさむ》の足を蹴《け》った。

勇は、バランスをくずして、からだが揺《ゆ》れた。お吸物《すいもの》をのもうとしていた勇の小さな手から、おわんの中味《なかみ》がとびだした。それからびっくりして泣《な》きだした。

「お母さん、早く！　ぞうきん、ぞうきん」

勇がとなりで、火のついたように泣いている。母はあわてて流《なが》しのほうにとんでいった。父は、おわんをもとにもどし、「やけどしなかったか？」とききながら、すぐに「早くっ、しみこむぞ」と母にどなった。

「はいっ、いますぐ」

母のあわてた声がとんでくる。そのあいだに、菜々《なな》はいそいで、ごはんをほおばれるだけほおばって、二階《かい》に駆《か》けあがった。勇《いさむ》の泣《な》き声《ごえ》はとうぶんつづきそうである。

子供部屋《こどもべや》のドアをしめ、窓《まど》のそばにへたりとすわりこみ、窓をあけて空を見ながら、口のなかのごはんをかみつづけた。涙《なみだ》がつきあげてのみこめず、菜々は、生まれてはじめて、こんなにごはんをかんだ。

ごはんは、口のなかで甘《あま》くなり、すこしずつのどのおくへすべっていった。半分くらいのみこめたときに下から父が、勇にいっている声がした。

「なんでおまえは、そんなに泣くんだ?」

菜々はギュッと目をつぶって、両手で口をおさえた。おさえていた悲《かな》しさは、力をまして涙といっしょに内臓《ないぞう》までもおしあげてきた。口から、からだじゅうのものがすべて出ていこうとしているようだった。菜々は、この世のものとも思えないような顔で泣いていた。

その晩、菜々は泣き声をけすために、枕《まくら》を口につっこんでふとんにはいった。弟の勇の手を見たら、やけどはしていないようだった。

「ごめんね、勇《いさむ》ちゃん」

ふとんをなおして、勇のほしがっていた、熊《くま》のぬいぐるみを枕《まくら》もとにおいてやった。

9　くだけ散《ち》る波しぶき

目がさめると、登校日《とうこうび》になっていた。

菜々《なな》は手ぶらで家を出ると、学校へむかった。五年間と一学期、かよいつづけた道を歩くうち、季節ごとの小さな道ばたの花が目のなかにうかんだ。いまは、つゆ草がうっそうとのびた草のあいだから青い花びらにしずくをのせて、のぞいている。

(九州《きゅうしゅう》か……)

菜々の頭に、ふと不安がよぎった。菜々にとっても梢《こずえ》にとっても、これ以上からだじゅうをしばられるようにしてここにいることはつらい。

グラウンドの横を歩きながら、菜々は梢がさしだした貯金通帳《ちょきんつうちょう》が、あたたかかったことを思いだした。梢は、なにげないふりをしてブランコをこぎながら、手のなかにしっかりと通帳をにぎりしめ、どこかへいくことを決心していたのだ。

梢《こずえ》の気持ちは菜々《なな》にもよくわかる。しかし、逃《に》げだして、今以上につらいことにならないともかぎらないのだ。とくに菜々にとっては梢の病気が心配だった。梢が苦しみだしたら、菜々はどうやって、梢を助けられるだろう。菜々は、そうやって考えだすと、きりなく不安がおしよせ、だれかにすべてをうちあけてしまいたい衝動《しょうどう》にかられた。

(田丸《たまる》先生ならば……そうだ)

菜々は、急に田丸先生と神社で会ったときのことを思いだした。

「好《す》きなものにうちこめ。生きることはたいへんだけれど、こわがることはない。自分が正しいと思うことをしなさい」

菜々は、つぎつぎと田丸先生の言葉を思いだしたが、その自分が正しいと思うことということころで、はたと迷《まよ》ってしまった。梢と家出《いえで》をすることが正しいのだろうか……。菜々は、田丸先生にすべてをうちあける決心をして、学校へむかった。

職員室《しょくいんしつ》をのぞくと、田丸先生のすがたは見あたらなかった。西田《にしだ》先生のうしろ姿《すがた》が目にはいったので、菜々は、田丸先生との話は帰りにのばし、さっさと職員室からはなれた。

教室にはいる前、入り口にかかっている「六年三組」という表札《ひょうさつ》をちょんとひとさし指ではじいた。

なかをのぞくと、ほとんど全員が集まっているようであるが、よし子のからの机《つくえ》にちらっと目をやり、みんなの席からすこしはなされたふたつならんだ机にむかって歩いていった。

クラスのみんなはなにか一つの話題《わだい》に夢中《むちゅう》になっているらしい。菜々《なな》のとなりの梢《こずえ》の席には、なにひとつなく、まだ梢はきていないようである。菜々がぼんやりすわっているとなんとなく、クラスの全員が菜々に注目《ちゅうもく》しはじめているのがわかった。

菜々がふしぎに思っていると、慎二《しんじ》が菜々のところにやってきた。

「川辺《かわべ》……、きいた？」

「なにを？」

クラスのみんなは、口ぐちになにか話しだした。

「なんだ、知らなかったのか。川辺は田丸《たまる》先生と仲《なか》いいから、知ってると思ったよ」

「田丸先生がどうかしたの？」

菜々は、みんなのようすで、それが良くないことであることを察《さっ》した。

「田丸《たまる》先生、入院《にゅういん》したっていううわさなんだ」

「どっか悪いの？」

菜々《なな》がそうきくと、慎二《しんじ》は口ごもってなにもいわないでいる。へんなふんいきだといぶかしく思っているところへ、誠《まこと》がやってきた。

「なんか、ふつうの病院じゃないらしいって話なんだよな」

レースのワンピースでおめかしをした泰子《やすこ》が、きこえよがしに大声をだした。

「かわいそうにね、田丸先生のかわいがってるだれかさんがあまり悪い子だから、頭がへんになっちゃったんですって！」

「やめろよ！」

信也《しんや》がめずらしいことをいった。おどろいて顔を見たら、ゆううつそうに、なにもおいていない机《つくえ》をじっとみつめている。菜々は信也もきっと田丸先生を好《す》きだったにちがいないと思った。

それと同時に、ゆいいつの理解者《りかいしゃ》までうしなってしまったことに呆然《ぼうぜん》とし、からっぽな頭のなかには、まっ赤になってはげ頭《あたま》に汗《あせ》をかきながら、菜々たちといっしょにおこられていた先生と、神社の森のざわめきのなか、急な階段《かいだん》をコトン、コトンとおりていく先生のうしろ姿《すがた》がなんどもうかんだ。

教室の窓《まど》から空をながめると、東の空を鳥の群れがいつまでも、ハンカチをひろげたり、たたんだりするような形で飛びつづけていた。

西田《にしだ》先生がはいってくる二十秒《びょう》前、梢《こずえ》が教室にとびこんできた。

「あ――! ねぼうしちゃったあ」

快活《かいかつ》にわらってみせた目が、まっ赤に充血《じゅうけつ》している。きっと梢は一晩《ばん》じゅう泣《な》いていたのにちがいない。

西田先生がはいってくると、つまらない夏休みの報告がはじまった。めぐみがさっと手をあげると、さも得意そうに話しだした。

「家族そろって、七月の終わりからずっと葉山《はやま》の別荘《べっそう》にいってました。海で蟹《かに》をとったり――」

梢が話のとちゅうで菜々《なな》に耳《みみ》打《う》ちした。

「なーにいってんのよね。あたしたちなんて葉山どころか九州《きゅうしゅう》だもんね」

菜々がシッといって、くちびるの前にひとさし指をたてて見せた。梢はおちつかないらしく、しじゅうきょろきょろしている。

ひととおり夏休みの発表が終わったとき、なぜか西田《にしだ》先生は、無関心《むかんしん》そうに黒板を見ているかおりにやさしく話しかけた。

「汐沢《しおさわ》、おまえはどうしてたんだ？」

西田先生は、夏休み前から、かおりが三人グループからぬけたことを知り、それが自分の指導《しどう》によるものだとかんちがいしているのだ。

かおりは、ふっと西田先生の顔を見ると不愉快《ふゆかい》そうにこたえた。

「家で勉強してました」

教室じゅうにちょっととまどったムードが流れた。受験組《じゅけんぐみ》の数人がさもあそんでいるように話をしたあとだったので、それはいかにも教室の表面的ななごやかさに反発《はんぱつ》した言葉に感じられたのである。

梢《こずえ》に田丸《たまる》先生のことを報告していた菜々《なな》は、急に言葉をきり、梢と顔を見あわせた。かおりとこのまま別れてしまっていいのだろうか。それぞれのかおりにたいする思いが同時にふたりに流れた。

菜々は、きのうかおりと菜々のあいだにあったことは梢に話していなかった。なんとなく、べつに話したってどうということのないのに、なぜかいう気になれなかった。

（かおりは、私に会いにきた）

そんな気持ちであのとき、からだじゅうになにかが吹《ふ》きあがってくるのがわかった。きのうかおりからつめたく逃《に》げたのだって、あそこで長く話をしたら、きっと菜々《なな》はかおりにすがり、なにもかもうちあけそうでこわかったのだ。

菜々は口にもださず、考えもしないでいようとはしていたが、梢《こずえ》とふたりでいてもやっぱり、かおりの存在をなつかしく思いだしてしまうのだった。

そのあと、西田《にしだ》先生がからだをこわさないように、ということをいってしめくくり、生徒たちは解放《かいほう》された。しかし、西田先生は教室を出るまぎわ、菜々と梢をちらっと見ることはわすれなかった。ふたりは心臓《しんぞう》がその視線《しせん》で、グイッとえぐられるような気持ちになった。しかし、それで菜々の気持ちは決まった。田丸《たまる》先生も、もういない。「正しいと思うこと」はいまだにわからないが、悩《なや》んでいてもはじまらない、いまとなっては行動《こうどう》あるのみ。

（田丸先生、私は梢が好《す》きです。梢はリレーで私のために走ってくれました。でも、私は、梢になにもしてあげられませんでした。私にできることは、梢といっしょにいることです。梢《こずえ》の思うとおりにしたいと思います。私たちを守ってください。私は、いまもこれからさきもずっと田丸《たまる》先生が好《す》きです）

「じゃ、三時に」

「うん、三時ね」

ふたりはだれにもきこえないような小声《こごえ》で、そういいかわすと、いつになくあっさりと別れた。

朝あんなに元気だったつゆ草は、昼の日射《ひざ》しのなかですっかりしぼんでいた。菜々《なな》はつゆ草を見ているうちに、母のことを考えていた。行きはハツラツ、帰りはショボン。学校に呼《よ》びだされ、話をきいた後の母はどんなにか、悲《かな》しい思いでこの道を歩くのだろう。そのうえ家に帰れば、菜々はすでに家出《いえで》をしたあとなのだ。

（お母さんをいかせちゃいけない）

菜々の頭にその言葉がうかぶと、それこそが菜々のはたすべき使命《しめい》であるように思えた。

ポケットに手をつっこむと切符《きっぷ》を買うためのお金がはいっている。菜々は歩いてきた道をとってかえし、駅前の商店街《しょうてんがい》へ全速力で走っていった。薬屋《くすりや》にとびこむと、おくで居眠《いねむ》りをしているおじいさんに声をかけた。

「すいません」

「……ん？……あ、いらっしゃい」

おじいさんは眠たそうな目を、無理やりあけて立ちあがった。

「下剤《げざい》ください」

「下剤？　あんたがのむのかね？」

「……は、はい」

「じゃあ、浣腸《かんちょう》のほうがいいね」

「浣腸!?　いえ、浣腸じゃだめなんです！」

「子どもは浣腸にかぎるよ」

「いえ、あ、あのきらいなんです私、浣腸じゃなくて下剤のほうが好《す》きなんです」

菜々《なな》は、自分でもなんだかよくわからないことをいっているなと思いながら、こういった。

おじさんは、すこしおこったようすで小さなびんのはいった小箱《こばこ》をつつんでくれた。

菜々はお金を払《はら》いペコリと頭をさげると、その小さな包《つつ》みをにぎりしめ、また全速力で家にむかって走った。

(まいったなー、浣腸《かんちょう》だって、お母さんに浣腸するわけにもいかないじゃない)

そういうと、菜々《なな》はおかしくなってしまい、しばらく電柱《でんちゅう》につかまってわらった。


「ただいま——!」

菜々はさも元気そうにいうと、冷蔵庫《れいぞうこ》にとんでいって麦茶《むぎちゃ》をだした。

「お母さーん、お母さんも麦茶のむー?」

「ぼく、のむ」

幼稚園《ようちえん》にはいったばかりの勇《いさむ》がちょんと顔をだした。菜々はちょっと気がぬけた。

「わかった、勇にもあげるからあっちへいって、お母さんと待ってて」

勇はいわれたとおりに、台所から出ていった。

「お母さーん」

「じゃあ、一杯《ぱい》もってきて」

母の声が寝室《しんしつ》のほうからきこえた。学校へいく準備《じゅんび》をしているらしい。

「ハイッ!」

菜々《なな》は待ってましたとばかりポケットから、さっきの包《つつ》みをだすと錠剤《じょうざい》を五粒《つぶ》ほどだし、ほうちょうの柄《え》でたたいて粉状《こなじょう》にすると、麦茶《むぎちゃ》に溶《と》かした。

「菜々、もういちどきくけどこんどはなにしたの？　そろそろお母さん職員室《しょくいんしつ》がよいはやめたいんだけど……、あら？　この麦茶へんな味しない？」

母が顔をしかめた。菜々はあわてて勇《いさむ》にいった。

「しないよねえ、勇」

「うん」

「そーお……」

母は、もうひと口、ゴクンとのむと首をかしげ、麦茶の半分残ったコップをワゴンの上においた。

菜々は母の変化をずっと観察《かんさつ》しつづけたが、母は、べつになんのかわりもなく一時四十五分になると、あわてて玄関《げんかん》にいってくつをはきはじめた。薬はききめがなかった。こうなればいっそのこと、西田《にしだ》先生にいわれる前に自分からいおう、菜々は思いきって母の背《せ》なかに呼《よ》びかけた。

「お母さん！」

母はくるりとふりむいた。そのしゅんかん、菜々《なな》は話をつづける勇気が消えた。

「なに？　いそがしいんだから、おこられにいく親まで遅刻《ちこく》したら、西田《にしだ》先生にあきれられちゃうでしょ」

「うん……、いいの。いってらっしゃい。ごめんね、お母さん」

「いつものことよ。じゃね」

菜々は、のどになにかがひっかかってとれないような気持ちで母のうしろ姿《すがた》を見送った。そこへ勇《いさむ》が熊《くま》のぬいぐるみをかかえてきた。

「おねえちゃん、これぼくんとこにあったよ」

「あげる」

「えー、うそだあ」

「ほんとに勇にあげる。だいじにしてね」

「うわー、ありがと」

勇はにこにこして、自分とおなじ大きさほどもある熊のぬいぐるみを、ぎゅっとだきしめた。菜々は、まだ赤ちゃんみたいにやわらかい弟の手をとると、一方的《いっぽうてき》に握手《あくしゅ》した。

梢《こずえ》はうつむいて、母のくつを見ていた。

「いってごらん、お母さんおこったりしないから、なにしたの?」

「いえば、学校にいくのよす?」

「そうはいかないよ、ちょくせつ西田《にしだ》先生が電話してきたんだもの」

梢は、母の顔を見た後、ふすまごしに見えるミシンの上に梢の縫《ぬ》いかけのワンピースがのっているのをみつけ、それきりだまりこんだ。母はため息をつくと、時計に目をはしらせ出かけていった。

縁側《えんがわ》に出て、風鈴《ふうりん》の音をききながら庭に目をやると、花壇《かだん》いっぱいにふえたほうずきが、小さなうす緑の袋《ふくろ》をつけはじめている。

梢は庭におりると、長いことそのほうずきを眺《なが》めていた。そして、目のなかがくもって、その実がよく見えなくなる前にひとつちぎって両手につつんだ。目《め》がしらが熱《あつ》くなって、いつしか梢はほうずきにひたいをおしつけ泣《な》いていた。母のため息《いき》が梢の耳にひびき、頭には父の笑顔《えがお》がうかんだ。

かおりの家に電話があったのは、よく日《じつ》の朝だった。菜々《なな》と梢《こずえ》が家を一晩《ばん》あけたという。かおりは、頭のなかがガンガン鳴るような気がした。

「置《お》き手紙《てがみ》はないんですか？」

「ないの、なにもないのよ……」

菜々のお母さんが、すこしかすれたような声でこたえた。

（覚悟《かくご》の家出《いえで》だ……。ハマグリのせいだ……。でも、どうして家出まで……）

かおりはきのう菜々《なな》が、水着すがたで、「さよなら」とひとこと、いったことを思いだした。

かおりはひっしで、冷静《れいせい》になろうと自分をはげました。考えなければ……、なにかふたりを見つける手だてがあるはずだ。

かおりは、とにかく菜々の家へいくことにした。

菜々の部屋《へや》をくまなくさがした。日記から教科書から、引《ひ》き出《だ》しから——すべて見た。日記にはそれらしいことはなにも書いていないが、裏表紙《うらびょうし》の内側に、小さく走《はし》り書《が》きで、「6時 ㊒」というメモがみつかった。㊒とはなんだろう。

（川にとびこんで自殺《じさつ》!? まさか）

かおりは、ふたりが死ぬことだけは、けっしてしないだろうとしんじていた。ひとりならともかく、ふたりいるのだから、けっして死をえらぶことはない。

だいいち、「6時」とはなんだ。かおりの頭のなかに次の行動がひらめいた。菜々《なな》も、注意深《ちゅういぶか》い子ではないが、注意深さとはおおよそ縁《えん》のない梢《こずえ》なら、なにか手がかりを残していくのではないか――、いざ、梢の家へ。

かおりの予想にはんして、梢は意外にも、なにも残してはいなかった。ただ、机《つくえ》のなかをひっくりかえして調べると、落書《らくが》きだらけのノートの最後に船の絵が描《か》いてあった。ほかの意味のない落書きにくらべて、それはちょっと異質《いしつ》なムードを持っていたため、かおりの頭に、その船の絵が残った。

〈6時 ⑾〉そして、〈船の絵〉それだけでなにがわかるだろう。かおりはにぎりしめたこぶしを口にあてた。

(わからない、わからない。どこへいったのよ!)

菜々のお父さんもお母さんも、まったく思いつかないという。梢のお父さんとお母さんなど、そういうそばから泣《な》きそうで、話しかけるかおりのほうがこまってしまうほどである。

かおりの頭のなかに、小野《おの》さんのことがひらめいた。かおりは、梢《こずえ》の自転車にのると、団地のほうにむかってペダルを全力でこいだ。

(小野さんならなにかわかるかもしれない)

進学ゼミナールにつき、自転車をおりたが、かおりがあせるせいで、自転車のスタンドがなかなかかからない。なんどかやってみたあげく、かんしゃくを起こして、自転車をぶったおして、ゼミナールの入り口に走りこんだ。

入り口のドアがひらいている。

あの日とおなじあの曲、ドップラーのハンガリア田園幻想曲《でんえんげんそうきょく》が静かに流れている。かおりは、ふとあの日の記憶《きおく》がよみがえるのを感じたが、頭をはげしくふって、それを飛ばした。

ドアからなかをのぞくと、なにか異様《いよう》なふんいきが建物ぜんたいに流れている。てんじょうに近いカーテンが揺《ゆ》れた。そしてそこから、男と女のクスクスわらう声がきこえた。

かおりはからだじゅうに電流が走るような気がし、つぎのしゅんかん、全身を寒気《さむけ》がおおった。

女のひとりがまたクスクスわらい、なにかをささやいている。「うら若き」「芥子《けし》の花」その言葉が、かおりの頭に点滅《てんめつ》する信号のようにくりかえし、あらわれたり、消えたりした。

涙《なみだ》でカーテンとてんじょうのさかいがわからない。

(小野《おの》さんが好《す》きです)

くちびるをいたいほどかみしめた。

(小野さんが好きです)

右腕《みぎうで》で涙をはらい落としたとき、カーテンの部屋《へや》からフルートの音がきこえてきた。

あの日、かおりにきかせてくれたあの曲だ。

『ピアノをやるといいね』

『いっしょに演奏《えんそう》しよう』

小野さんの声が頭のなかに鳴りひびいた。

「うそつき!!」

かおりはくるりとうしろをむき、ドアの下にぬぎすてた白いスニーカーにいそいで足をつっこんだ。ほこりだらけのたたきの上にポタポタ涙《なみだ》が落ちた。そして、その涙の向こうには、スポットライトを浴《あ》びたように、白いサンダルが細いかかとで立っている。

かおりはぐっとくちびるをかむと、乱暴《らんぼう》にサンダルを片方だけつかんだ。スニーカーのかかとをつぶして走り、横倒《よこだお》しになっている梢《こずえ》の自転車を起こすと、それにまたがり、線路にそって道をひきかえした。

向こうから電車が走ってくる。かおりは自転車のペダルをフル回転させながら、思いきりサンダルを持った手をふりかざし、線路のなかにそれを投げこんだ。サンダルはゴーッという電車の音にのみこまれると、一直線に電車の車輪がかおりの目のまえをすぎていった。

涙でくもった目のなかを、菜々《なな》、梢、小野《おの》さんそして母が、走馬燈《そうまとう》のように走りぬけた。かおりは、ぼんやり無意識《むいしき》にペダルを踏《ふ》んで、三人で走った養老院前広場《ようろういんまえひろば》の前の道にきていた。

『万年筆《まんねんひつ》、ありがとー』

小野さんの声が耳のおくで小さく鳴った。一すじまたかおりのほおに涙がつたわっておちた。

『合い言葉は驚異《きょうい》のリレー』

そうさけんで、別れたときの三人の自転車のペダルの音が、いま、ひとりでこいでいるペダルの音にかさなった。

かおりはむしょうに菜々《なな》と梢《こずえ》が恋《こい》しかった。ふたりの顔が見たい、話がしたい。かおりは小学校をぬけ、裏《うら》の神社の森の前で自転車をとめた。

かおりはしんとした神社の森にはいると、すこしおちついた気分になった。頭をうしろに倒《たお》し、緑の葉でおおわれた森のてんじょうを見ているうちにかおりは、木の根につまずき、どっと倒れた。森の土と下草《したくさ》と緑の落ち葉がからだをやさしくうけとめた。

かおりは起きあがるのをやめ、そのままあおむけになって目をつぶった。あまりにおおくのことが急にかおりにおそいかかり、かおりはほんのすこしの時間に急に歳《とし》をとったような気がした。

ひたいやまぶた、からだのあちらこちらにここち良いぬくもりを感じて、かおりは目をさました。いつのまにか眠《ねむ》ってしまったらしい。まぶしさに思わず目をそらすと、かおりのからだの上に半透明《はんとうめい》に揺《ゆ》れる光が音もなく降《ふ》りそそいでいる。

あたりを見まわすと、緑のてんじょうのすきまから、森のあちらこちらに陽《ひ》の光が柱のように射《さ》しこんでいるのである。その光の柱は虹色《にじいろ》にかがやき、うす緑色に染《そ》まりながら風の動きにあわせて森のあちこちで揺《ゆ》れている。かおりはその美しさに、思わず息をのんだ。

光の柱のなかで、気がつかなかった木のうろに雑草《ざっそう》が小さな花をつけ、木の皮と見わけのつかないような昆虫《こんちゅう》がごそごそとうごいている。栗《くり》の葉の裏《うら》にかくれていた毛虫《けむし》が頭をもたげ、かおりのからだの下の下草《したくさ》さえ、かおりの動きにあわせてはねおきる。かおりは森のひとつひとつに目を見はった。森はたしかに見なれた慣《な》れしたしんだところなのに、かおりの目に飛びこんでくるものは、すべてがはじめて出会うもののように感じられる。

かおりは、ゆっくりとそれらをながめているうちに、それが以前からずっとそこにあったものであることに気がついた。なにひとつ特別のものはありはしない。毛虫も小さな花も木《こ》もれ陽《び》も、いつもかおりの近くにあったものばかりなのだ。ただかおりが気にもとめず、見ようともしなかったというだけだったのだ。

『いろんなことができて、いろんなものを持ってる人は正しいことばっかりできるよ。まちがったことなんかしないですむよ。かおりなんかにあたしの気持ちがわかるもんか！』

頭からはなれなかった梢《こずえ》の言葉が、いまのかおりにはよくわかった。梢がどんな気持ちでこういったか、涙《なみだ》を大きな目にためて、菜々《なな》がどんな思いでだまっていたか……。

かおりのなかにあったものは、つねにかおりの気持ちだけだった。かおりにはなんのことはない試験《しけん》や点数であっても、それがどんなにか重く気持ちにのしかかってしまうひとがいるかもしれないのだ。

吹《ふ》けば飛ぶような木の葉一枚《まい》の重さだって、小さなアリにしてみれば、身動きのとれないほどの重さに感じるだろうし、アリにとって、なんなくもぐれる土のなかでも、人間にとっては未知《みち》の世界《せかい》であったりするのだ。

自分勝手《じぶんかって》で、なにも知らない自分がはずかしかった。かおりは、空を見あげ梢の顔を思いだした。

目のなかに小さな青空が映《うつ》った。こうしてこれまでなにげなく見すごしてきた木の葉のあいだの青空のなかにも、よく見ればレースのようなくもの巣《す》がひろがり、透《す》きとおった羽根でよこぎる虫やきらきらかがやく花粉《かふん》が飛んでいる。十二歳《さい》のかおりのまわりには、十二歳分のすばらしさ、かおりだけにあたえられたことがこんなにもとりまいているのだ。

おとなばかりの、つめたく大きいだけのかおりの家、かおりをひとりぼっちにして病気になった母。しかし、ほんとうにそうだろうか。

姉の洋子《ようこ》は、いっしょうけんめいかおりを育ててくれたし、母は、いつも病院でかおりのくるのを待っている。つめたくさみしくしていたのは、父でも母でも兄弟でもなく、かおり自身だったのではないか？

話もしようとせず、投げやりな気持ちでおとなのいうとおりにうごき、なまいきな態度《たいど》はとっても、かおりはひとつとしてこれまで自分からなにかをえらぶことも、望むこともしたことがなかったではないか。

それらすべては、ぜんぶかおりのなかにあることだったのだ。素直《すなお》なやさしい気持ちで見ることができれば、いろんなものが見えてくるし、いろんなことがわかってくる。一歩一歩あるかなければどんな遠くにもいけないし、足もとを見なければ、小さな花をも踏《ふ》みつぶしてしまう。

かおりのからだは熱《あつ》くなり、光のなかに手をかざすと、指さきにはしる血管《けつかん》が赤く見えるような気がした。光のなかで目をあけると、かおりのからだじゅうから涙《なみだ》が蒸発《じょうはつ》していくのがわかった。

バスの窓《まど》から菜々《なな》と梢《こずえ》の目にとびこんできたのは、いつも見なれた緑の並木《なみき》にかわって無数《むすう》に立ちならび、もうもうと煙《けむり》を吐《は》く灰色の煙突《えんとつ》の林だった。ふたりの気持ちは、煙が空をおおっていくように、いい知れぬ不安にぬりこめられていく。

ゴーッというものすごい騒音《そうおん》に目をあげると、鉄のかたまりが空をよこぎっていくところだった。ふたりともこんな近くで飛行機を見るのははじめてである。それはふたりが校庭や通学路《つうがくろ》で見あげた、あの鳥のようなさわやかさはひとかけらもなく、ただ異様《いよう》な固《かた》い物体《ぶったい》がやさしい空を食《く》いちぎり飛びたっていくといったような恐《おそ》ろしさだけのものだった。

ふたりは飛行機から目をはなし、なんとなく見つめあったが、口をひらく気にはなれなかった。そのとき、ふいにバスの窓《まど》から車内に風が吹《ふ》きこんだ。潮《しお》の香《かお》りがほおから髪《かみ》に吹きぬけた。目のさめるような清涼感《せいりょうかん》である。

「菜々《なな》、海だよ。海のにおいがする」

ふたりは席から立ちあがり、背伸《せの》びをして見えない海を見ようとした。

「きっと、この工場の向こうが海なんだね」

こんな灰色《はいいろ》の街《まち》にも港《みなと》があり、そのさきには海がある。

ふたりは急に胸《むね》が高鳴《たかな》るのをおぼえた。潮の香りは海からはなれた地区に住むふたりにとって、けっしてしたしみ深いものではなかったが、みょうにそれはなつかしく、やさしくふたりをつつみこんだ。

バスが港につき、ふたりはボストンバッグをひきずるようにしてバスからおりた。たちこめる排気《はいき》ガスが一瞬《いっしゅん》潮の香りをけした。時計は五時四十分をさしている。出航《しゅっこう》まであと二十分。ふたりは切符売場《きっぷうりば》の窓口《まどぐち》へいそいだ。

しかし、ドキドキしていたのに、小人料金の二人分、一万六千二百円を窓口《まどぐち》におしこむと、切符はかんたんにふたりの手にさしだされた。問いつめられたときの答えまで考えていたふたりは、なんの不審《ふしん》もいだかず切符《きっぷ》をわたしてくれた窓口《まどぐち》のおじさんの顔をしばらく見てしまうほどだった。

だれも気にしていないのだ。ここまできたら、もうなにかいってくれるひとすらいない。ふたりはほっとしながらも、心のどこかに穴《あな》のあいたような寂《さび》しさをあじわわないわけにはいかなかった。

白い船が遠くに見える。そこにいくには緑色の歩道橋《ほどうきょう》をわたらなければならない。ふたりはその階段《かいだん》をのぼりきったところで、重い荷物をおろし、目前《もくぜん》にひろがる風景を見た。

茶色くにごった海がある。もくもくと煙《けむり》を吐《は》く町が見える。もはやふたりの身近な風景は、どこをさがしても見あたらなかった。

「梢《こずえ》、へいき?」

「うん」

この橋をわたれば、もう船だ。菜々《なな》には荒《あら》い息の梢と自分のすがたがひどく小さく感じられた。

港《みなと》から船にわたされた通路《つうろ》には、タバコをくわえたトラックの運転手さん、はでなアロハのお兄さん、家族連れなど、たくさんのひとが歩いていく。でも、そのなかでだれひとりとしてふたりに注意をむけるひとはいない。

カーフェリーは想像以上に大きく、一歩足を踏《ふ》みいれた船内《せんない》は、まるでホテルそのままだった。

フロントの女のひとに教えられて階段《かいだん》をおり、ふたりは二等のじゅうたんの上に荷物をおろすと、すぐ酔《よ》いそうになってデッキへ出た。

ふたりが手すりにもたれていると、白い船長さんのような帽子《ぼうし》をかぶったひとがとおりかかり、ふたりを見て立ちどまった。びくっとした直後、菜々《なな》がちょっとうわずった声で質問した。

「あ……あの、赤いの、あれなんですか？」

菜々が海にうかぶ赤い柵《さく》のようなものを指さした。船員のそのひとは、菜々の指のさきを追うように見たあと、快活《かいかつ》な声でこたえた。

「ああ、あれはブイっていって、海の道路標識《どうろひょうしき》みたいなものだよ」

梢《こずえ》が間《ま》をあけずに質問した。

「飛行機がずいぶん近くを飛ぶようだけど」

「すぐそこが、羽田飛行場《はねだひこうじょう》だからね」

「あの……」

いいかけた菜々《なな》の言葉をさえぎるように、そのひとは片手でおさえるような動作《どうさ》をした。

「ごめんね。ちょっといま、いそがしいからあとでフロントへいらっしゃい。そのとき、まとめてこたえてあげるから」

ふたりがうなずくと、そのひとはちょっと笑顔《えがお》を見せてから、大《おお》またでデッキをよこぎり船内に消えた。

海の上をカモメが一羽飛んでいく。

「あ――、あやしまれたのかと思ったよ」

梢《こずえ》がフーッと息《いき》を吐《は》きながらいった。

「ほんと、ヒヤッとしたね」

菜々はそうこたえながらも、あたたかいなにかを感じていた。家を出てからはじめて、見ず知らずのひとがふたりを気にしてくれたのだ。

ボ――ッ

ふたりは同時に顔を見あわせた。

たてつづけにボーッ、ボーッと、汽笛《きてき》が鳴る。

エンジンの震動《しんどう》が静かにふたりのからだにつたわってくる。

「出航《しゅっこう》だ」

気がつくと真下に見えていたコーラの空《あ》き缶《かん》が、後方で揺《ゆ》れている。デッキに出たおおぜいの人たちが、港《みなと》のほうをむいて手をふったり、指をさしたりしている。海につきでた公園から、手をふっている見送りのひともいる。

「バイバ――イ」

「いってきまーす」

笑《わら》い声《ごえ》のひびくデッキの上で、菜々《なな》と梢《こずえ》の背《せ》なかだけはかたく、進行方向《しんこうほうこう》の海だけを見つめていた。

カモメと飛行機が交差《こうさ》して上空を飛んでいく。きゅっとむすんだくちびるに潮風《しおかぜ》が吹《ふ》きつける。くちびるをなめると、潮風は涙《なみだ》とおなじ味《あじ》がした。

船はぐんぐん港をはなれ、港がてのひらにのるくらいになると、にごった海はきれいな青色に光りだした。

菜々《なな》は海をながめながら、だれかがこれはぜんぶ夢《ゆめ》だといってくれたら、どんなにうれしいだろうと思った。

港《みなと》はついに点になり、見えなくなった。そして梢《こずえ》はぽつりと菜々にたずねた。

「ねえ、厄年《やくどし》っていくつのときくんの?」

菜々は視線《しせん》を海から空へうつした。

「わかんない……、でもずっとずっとおとなになってからのことじゃなかった?」

梢は菜々の顔をちらっと見てからつぶやいた。

「あたしたちの厄年は、十二歳《さい》だね」

ふたりはたがいに顔を見あわせ、しばらく見つめあった。そして、その後なおさら暗い気持ちになってしまった。

「なにをやってもうまくいかないとか、悪いことばかりつづくことがあるけど、今年の夏はまさにそれだもんね」

菜々もため息《いき》まじりにいった。

「世界じゅうでいちばんつらい子どものグループに、きっと私たちはいってるよ」

ふたりはそれぞれに深くうなずいた。生まれてからいちどだって、こんなふうな夏がやってくるとは思ってもみなかった。

船は速力をはやめ、潮風《しおかぜ》はふたりにまっこうから吹《ふ》きつける。

「飛《と》び魚《うお》だ！」

夕焼《ゆうや》けに染《そ》まる水平線の前をリズムにのって、銀色のからだが宙《ちゅう》に舞《ま》う。そして曲線を描《えが》いてはまた波のなかに消えていく。

「きれいだねえ」

菜々《なな》も梢《こずえ》もしばらく飛び魚のパレードに気持ちをうばわれていた。

しかし、それも数分のことで、菜々ははっとしたように梢のほうを見た。そして、梢の顔をじっと見すえると、まじめな声をだした。

「梢、きいておかなくちゃなんないことがあるの」

梢は菜々の目を見てうなずいた。

「このことをいうのは、私もつらいしとっても勇気のいることなの。でも私たちはきょうからふたりきりの家族になったんだから、なんでも知りあわなくちゃなんないと思うの」

菜々は、ひとつひとつ言葉をかみしめるような言いかたでいった。

「うん、そうだね」

梢《こずえ》がこたえると、菜々《なな》はとても梢の顔は見ていられないというふうに、ちょっと梢に背《せ》をむけた。

「ねえ……、梢。……梢、死んじゃうの？」

菜々は思いきってそういうと、ぎゅっと目をつぶって返事《へんじ》を待った。しかし返事はなにもかえってこない。

「梢、いってよ。私だってききたくないのよこんなこと」

菜々は真剣《しんけん》にたのんだ。

「いつかは死ぬよ。おばあさんになったとき」

梢はすこしおかしそうに話をつづけた。

「でも、すぐには死なないよ。無理しなければずっと生きていられるらしいよ」

ふりむいた菜々はくりくりの大きな目をきらきらさせた。

「よかったあ、あーよかった。すぐ死んじゃうのかと思ってたんだもん、私」

菜々にだきつかれながら、梢はおかしそうにわらった。

「なんか、眠《ねむ》くなっちゃった。すこし寝《ね》ない？」

梢《こずえ》はそういうとすぐ、デッキを歩きだした。船室《せんしつ》にはいると、ムーンと機械《きかい》と潮《しお》のまざったようなにおいが鼻についたが、がまんして、茶色い革張《かわば》りの枕《まくら》に頭をのせると、いつのまにかふたりは寝息《ねいき》をたてはじめた。ふたりが思う以上に、これまでの緊《きん》張《ちょう》が、ふたりをひどくつかれさせていたのである。

夜中であることにまちがいはない。ミッキーマウスの腕時計《うでどけい》を見ると、二時十五分をさしている。広い船室《せんしつ》のじゅうたんの上には、いろんなひとが眠《ねむ》っている。となりで寝《ね》ている菜々《なな》も去年《きよねん》の臨海《りんかい》学校のときとおなじ顔をして、ぐっすり眠りこんでいる。

梢は、そうっとからだをうごかすと目をこらしてスニーカーをさがした。そしてさがしだしたスニーカーに足をつっこむと、音のしないように気をつけながら船室を出た。

デッキにはだれもいない。海はまっ暗で、遠くのほうにときどき白い波がうっすら目につくだけである。

じっと暗い海をみつめていると、風の音が耳の横をとおりぬけていくのがわかる。自分の肩《かた》に首をのせるようにしたらT《ティー》シャツには、すっかり海のにおいがしみついていた。T《ティー》シャツに顔をうずめ、海のにおいを胸《むね》いっぱいすいこんで、顔をあげたしゅんかん、見たこともないほどの星をちりばめた夜空がひろがっていた。

「こんなに星がある……」

梢《こずえ》は、幾千《いくせん》もの星にかこまれ、広い海の上にぽつんとひとりうかんでいる自分を考えた。と同時に、梢のなかからこれまでのすべてのことがスーッとどこかへ吸《す》いこまれるように消えていった。そして、からっぽになった白い箱《はこ》のような梢の心のなかに、あぶりだしの五つの文字がうかびあがった。

〝心臓弁膜症《しんぞうべんまくしょう》〟

梢は、その文字から目をそらすことはしなかった。

いままで梢はこの文字をおそれ、目をとじ、この病気から逃《に》げることばかり考えていた。いまもその文字からうける印象は苦しいことにかわりはなかったが、梢はそれを当然《とうぜん》そこにあるべきものとしてとらえることができる自分におどろいた。

梢はその文字を静かな気持ちで見つめ、なんどもなんどもつぶやいてみた。いくら逃げても、目をとじても、死ぬまで、その病気といっしょに生きていかなければならないのだ。

そこまで考えたとき、梢《こずえ》は自分のなかでなにかが変化したことを感じとった。梢のなかには、病気になる前とはちがった形の希望が見えてきたのだ。

（病気になっちゃったんだから、しかたないよ）

梢《こずえ》のからだは急に熱《あつ》くなり、はっきりした形はなくとも、その新しい希望からわきあがる力は、どんどん梢のなかでふくれあがった。

朝になって食事をすませた後、船室《せんしつ》にいるとなにかきかれそうな感じがしたので、すぐまたふたりは、デッキへ出た。

ふたりが話すこともなく海を見ていると、しばらくして先頭《さき》の広くなっているデッキのほうがにぎやかになりだした。ふたりはどちらからともなく、その方向にむかっていった。ひろびろとした先頭のデッキには、いくつかの小さないすがとりつけてあるほかなにもなかったが、夏の強い日射《ひざ》しのなかで水着すがたに着がえた若い男女が寝《ね》っころがったり、歩きまわったりしている。聞くと、船のなかに室内プールがあるということだった。そのなかにちょっと髪《かみ》を染《そ》めたような、高校生くらいの男の子や女の子が輪をつくっている。のぞくと、中央には大きなテープレコーダーがでんとおかれていた。

「ワン、トゥ、ワントゥスリーフォー！」

いちばん背《せ》の高い、手のこんだリーゼントヘアーの男のひとが指を鳴らしてかけ声《ごえ》をかけると、だれかがスイッチをおし、そのとたんすごい音がスピーカーから流れだした。すると、その場にいた全員は待ってましたとばかりにからだをうごかし、つまさきをひねり、腰《こし》をふって踊《おど》りだした。

菜々《なな》と梢《こずえ》は最初おどろいてみとれていたが、からだがひとりでにリズムをとりはじめた。

「すごいねえ」

梢が、圧巻《あっかん》！　といった感じでささやいた。二十人ほどもいる若い男女がかんかん照《で》りの白い船の上で、青い海と空をバックに踊りまくっているのである。それはまるで、いつか見たミュージカルの舞台《ぶたい》の一場面のようだった。

ふたりのいちばん近くで踊っていたふとった男の子が二重になったあごに汗《あせ》をたらしながら、ちらっとふたりを見た。菜々と梢がびくっとして下をむくと、その男の子のまわりにいた女の子が、踊りながらふたりに近よってきた。

「いっしょに踊《おど》らない？」

「え……⁉」

ふたりがもじもじしてだまっていると、その女の子たちはさっとふたりの手を引いてにこにこわらいながら輪の中央にはいっていった。

菜《な》々《な》と梢《こずえ》は、その女の子たちのいうままにギクシャクしながらからだをうごかしたが、二曲目、三曲目と踊るうちにけっこう踊れるようになった。そのうち、最初に指を鳴らしていた男のひとが、よってきた。

「ふたりきり？」

「うん」

梢は踊りに夢中《むちゅう》になりながらこたえた。

「親戚《しんせき》のうちが九州《きゅうしゅう》にあるわけ？」

「ううん、ないよ」

「レジャー？　見学《けんがく》？　ナンパ？」

「家出《いえで》」

菜々はびっくりして梢の足を思いきりふんづけた。

「うっは——、話せるぜ！」

その人は大笑《おおわら》いしながらいった。そして、踊《おど》りながらまわりじゅうにいってまわっている。

「このふたり、家出《いえで》してきたんだってよ！」

まわりのみんなは、本気《ほんき》にしているのかしていないのか、口ぐちに、

「やる——う」

「話せる——」

そういいながら、やっぱりからだをうごかしつづけている。

菜々《なな》のおこったようすを見て、梢《こずえ》は急にションボリした。

「ごめん、つい……」

「もう！　梢はいつもそうなんだから」

「ごめん」

音楽がやんだ。踊っていたひとたちは全員その場にのびたように寝《ね》っころがって、騒《さわ》ぎは終わった。

ふたりが立ちさろうとすると、さっきの女の子たちが寝っころがったままのかっこ

うで手をふって、「またね」といった。ふたりはぺこりと同時に頭をさげて、小走《こばし》りでその場から消えた。

「ねえ、菜々《なな》、気をつけるから、もうぜったいあんなこといわないから。もうおこらないでってばあ」

「ほんとかしら、あやしいもんだ」

「いわないっていってんじゃない!」

「自覚《じかく》がたりないんだもん!」

「しつこいなあ」

「しつこくしないとわかんないのはだれよ」

「フン!」

ふたりはたがいに背《せ》をむけると、だまって海を見た。

潮風《しおかぜ》が汗《あせ》でぬれたからだをひやしていく。波がしらがときどき白くもりあがると、それはまるでイルカが泳いでいるみたいに見えた。頭上では太陽がようしゃなく菜々の腕《うで》といわず梢《こずえ》の肩《かた》といわず、船ぜんたいを焦《こ》がしつづけている。

「もう、やめよ」

菜々《なな》がいうと、梢《こずえ》はうれしそうにうなずいた。

「それから、かおりのことも、もうおこるのやめにしない?」

菜々はつくづくいやになったというふうにいった。

梢も山登りでもしてきたように、おおげさにハアーッと息を吐《は》いて、もうひとつうなずいていった。

「異議《いぎ》なし」

「かおりにもいろいろあったわけよ、たぶん。考えてみればさ、かおりんちって、みんな私立《しりつ》じゃない」

「あーん、そうだ。例のお兄さま、お姉さまたちか」

空がどんどんかわっていく。水平線《すいへいせん》の向こうに入道雲《にゅうどうぐも》がわきあがってきた。

「ばかばかしいじゃん、ほんとに。なにもかもつまんないことに思えてきたよ、あたし。海は広いし、青いし、雲はどこからかしんないけど、ムクムクわきあがるしさ。なんか考えてたこと、ぜんぶやり直しにしようかな」

「いまからでもおそくはない」

「ぜんぜん、まったくおそくはない」

「梢《こずえ》いくつ？」

「十二歳《さい》。菜々《なな》は？」

「私も十二歳。やっと十二の若《わか》さだもんねー」

「十二歳ってて、やり直すにはまだおそくないよね」

そこまで話したとき、菜々はあまりに楽しげな梢の顔を見て、急に不安を感じてしまった。

いまからでもおそくはない……、いまからひきかえしてもおそくはないのではないか。やり直すことをするためにも、ふたりで九州《きゅうしゅう》にいくよりは、東京《とうきょう》の両親のもとへ帰らなくてはならないのではないだろうか。

波しぶきが船にあたり、白くくだけちると、そこに虹《にじ》がかかった。小さな波がしらは、かたい船の横腹《よこばら》になんどかはねとばされて、白いしぶきに変えられても、おなじことをくりかえす。そして、はげしく自分をぶつけるほど白いしぶきは高く、広くくだけちり、そのぶんだけ七色の虹はさらに美しくかがやいた。

菜々は、美しい虹がかかるたびに、希望と焦燥《しょうそう》がこうごに、自分をつきあげるのを感じた。

からだの底から力がわいてくる。つらく出発した旅《たび》が、いまではなにかちがってきている。だからこそ――どうしたらいいんだろう。

菜々《なな》が、混乱《こんらん》した気持ちを整理《せいり》できないうちに、梢《こずえ》が海から目をはなさず、話しはじめた。

「あたしの心臓《しんぞう》さあ、弁《べん》っていうとこがポンコツでさあ、でも、あたしのできることって運動しかないじゃん。勉強がんばってもあのとおりだもんね……そのあげく――」

ドーンと波がはげしい音をたてて、そのさきの梢の言葉をけした。

「あたし、オリンピックに出たかったんだ。走るのでもいいし――泳ぐのでもいいし、自信あったんだ。いまでもあるよ……でもね」

波しぶきが飛んできた。

梢がほおをぬぐったが、それが涙《なみだ》かしぶきか、菜々には判別《はんべつ》できなかった。

「でさ、あんときね、あたしなんかへんだったんだ。すごくみじめでね、菜々やかおりが憎《にく》らしくなって、急にあいつとなんか仲良《なかよ》くしてみたりしてさ……」

菜々は大きく深呼吸《しんこきゅう》をして、梢の顔を見た。

「もういいよ。私たちもう変わったんだもん」

菜々《なな》がそういうと、梢《こずえ》も、もうそのことについては話さなかった。

「ねえ、九州《きゆうしゆう》でなにして働く？　ホステスやろうか？」

「バカ！　だめ！　ハマグリが私になんていったかおぼえてないの⁉」

「あ――」

梢は、しまったというふうに口をつぐんだ。

「新聞屋《しんぶんや》さんにつとめようよ」

「なんで？」

「うちへくる新聞屋さんに、そういう子がいるってこと、きいたの。国からお金を貸してもらえるのかな？　あれ、新聞社からだったかな？……」

「どっちでもいいよ、でも新聞配達《しんぶんはいたつ》って、あんまりカッコよくないなあ」

「カッコイイじゃない。ジョギパンはいてさ、自転車に乗って、町じゅうを走りながら、朝日をいちばんにあびられるのよ」

梢は、菜々の顔を見てクスクスわらった。

「菜々がいうと、なんでもいいことにきこえちゃうよ。――でもさあ、女の子でもやとってくれるかなあ。新聞少年はきいたことあるけど、新聞少女ってきかないよ」

菜々《なな》は、梢《こずえ》が夢中《むちゅう》になって話せば話すほど、口さきだけで話している自分に気づいていった。

『無理《むり》しなければずっと生きてるらしいよ』

ふたりで九州《きゅうしゅう》で暮《く》らすことは、梢にとっても菜々にとっても、無理のかたまりをせおうこととおなじではないか。梢が死んでしまったら……菜々はそこまで考えるとぞっとして目をとじた。

「梢……、ほんとうにふたりで暮らせると思う?」

梢はちょっとだまって、心臓《しんぞう》をコツンとたたいてみせた。

「へいきだって、オリンピックは無理でも、自転車くらいこげるよ、この心臓」

菜々は、静かにわらうとうなずいた。菜々の不安がわかったのか、梢もそれきり、その話はやめにした。しばらくだまったまま、時間がたち、菜々は、重くるしくなったムードをとりはらうために新しい話題《わだい》をもちかけた。

「ねえ、梢。梢はそれで将来《しょうらい》なにになるの?」

梢はすこし考えこんでいた。

「わかんないよ。でもさなんか見つける。ゆっくり考えるよ。それよか菜々《なな》こそなにになるの？」

菜々は梢《こずえ》を見ると、すこしはずかしそうに下をむいた。

「あのね……私はね。小説家《しょうせつか》になりたいの」

「えー！　うそだ――！」

梢がぶしつけなほど大声でいうと、菜々はふくれていった。

「ほんとだもん」

梢は、ひとしきりわらってから、すこし反省したように菜々の顔を見た。

「ふーん、小説家かあ……、あ！　そしたらさ、西田《にしだ》先生やっつける話書くといいわよ。ねっ、いいと思わない？」

「うん！　それいい！　いつも悪人《あくにん》が出てくるたびに、『そいつは、ハマグリみたいな鼻の下であった』って書いちゃう！」

ふたりは、お腹《なか》のよじれるほどわらい手をにぎりあうと、そのときだけは不安もなにも吹《ふ》きとんではしゃいだ。

午後二時三十四分、予定より四分遅《おく》れて、カーフェリーは九州《きゆうしゆう》の宮崎県《みやざきけん》、日向港《ひゆうがこう》に到着《とうちやく》した。

船からおりると、まず目にとびこんできたのは、ぬけるような青い空だった。そして、どことなく、ゆったりとした南国の空気は、潮風《しおかぜ》までもすこし甘《あま》いような気分にさせる。

しかし、そんなうきたった気分もほんの一瞬《いっしゆん》で、デッキで踊《おど》った人たちのすがたも消えていくと、ふたりは急に、ふくらみかけた希望が音をたててしぼんでいくのを感じた。

港《みなと》はなんて大きくて、なんてよそよそしいのだろう。熱《あつ》い潮風のなかで、ふたりは立ちつくすしかなかった。どっちに歩けばいいのかさえ、だれも教えてくれない。ここは日本のはずなのに、とおりすぎる人たちの言葉さえききとれない。

「あたし、泣《な》いちゃいそうだよ」

梢《こずえ》の声は、泣いちゃいそうではなくて、もう泣いていた。

「だめ！」

菜々《なな》は梢にいうというよりも、目の前のぼやけてくる自分にたいしていった。

泣《な》いたってしかたないのだ。泣いたって……。それでもやっぱり泣けてくる。

「梢《こずえ》……私も……」

梢はなにもこたえず、大きなボストンバッグをひきずり、堤防《ていぼう》のほうへ歩いていく。菜々《なな》も梢に負けず大きなボストンバッグをひきずって、梢についていった。ときどき肩《かた》がひくっとうごくので、梢が泣きながら歩いているのがわかる。

こんなにひとりぼっちであることを考えたことはなかった。ここには帰る家もなく、かばってくれるおとなもいない。家出《いえで》をしたということの重大さに、いまはじめてふたりはおしつぶされそうになっていた。

ふたりは堤防のところまでいくと、ボストンバッグに腰《こし》をかけて、クスンクスンやりはじめた。いまは泣くことをとめることはできなかった。泣くだけ泣かないと、つぎには進めない気がした。

そのうち、クスンクスンは、ウッウッという声にかわった。そしてふたりは、おたがいの泣《な》き声《ごえ》にまた刺激《しげき》されて、つぎには声をあげて泣いていた。それでもまだ、理《り》性《せい》はすこし残っていて、なるべく声をあげるのは波が堤防にぶつかるときにおさえた。

そのとき、梢の耳に、波と自分たちの泣き声以外のききなれた声がきこえた。

「こずえーっ！」

梢《こずえ》は、自分で自分をわらおうとした。

（空耳《そらみみ》がするなんて……）

「こずえ――！」

梢はびくっとしてふりむいた。

遠くにタクシーがとまっていて、その方向から梢の父と母が走ってくるのが見えた。

（お父さん！　お母さん！）

梢は思わず立ちあがると、ボストンバッグを反射的《はんしゃてき》にとびこえ、ふたりのほうへ走りだした。なにかいおうとしたけれど、涙《なみだ》でのどがつまって、動物みたいなうなり声《ごえ》しか梢《こずえ》の口からは出なかった。

菜々《なな》はポカンとして、梢のうしろ姿《すがた》をながめていた。なにがなんだかわからなかった。梢が、梢の両親とだきあって泣《な》いている。三人はひとつのかたまりのようになって、その場にしゃがみこんだ。

（あ……）

そのかたまりの向こうに、背《せ》の高い男のひとが立っていた。

（あのヘアースタイル、あのハンガーのような肩《かた》……、お父さんだ！）

菜々はそう思ったとたん、ボストンバッグにつまずいてよろけながら、反対方向へ走っていた。

父とは反対の方向へ、ひっしで走っていた。なんでかわからないけれど、菜々は父にしがみついて泣くなんて、できないと思った。梢がさきに家族《かぞく》そろって泣いているとなりでおなじことをするなんて……とも、へんな理由《りゆう》だとは思ったけれど、やっぱりそう思ったし、とにかくなんだかすべてがはずかしくなって、逃《に》げだした。

川崎港《かわさきこう》につくまで走りたいと思った。カーフェリーに乗る前のところまで走ってもどりたい。いや、テストの解答《かいとう》を見る一時間前まで走っていきたいと思った。

父が消えてくれればいいと思った。

菜々《なな》は走りながら、もうれつにおこっていた。こんなところまで追いかけてきた父に。それから、こんなところまできてしまった自分自身に。

ドドーーン！

「あっ！」

菜々はとつぜんおそってきた波しぶきにおどろき、足をすべらした。前のめりにころんで、ひざこぞうをしこたま打った。

あまりの痛《いた》さにすぐにはうごけないでいると、菜々のからだは大きな手にだき起こされていた。父はジャケットをたくしあげるようにして、ズボンのポケットからハンカチをだした。そのハンカチはくしゃくしゃですこし光っているところがあった。きっと、父がここにくるまでに菜々のことがあまりになさけなくて、泣《な》きそうになり鼻でもふいたハンカチなのだろう。しかし、なぜかきたないとは思わなかった。

塩水のついたひざこぞうをふくと、血《ち》は出ていなかったが、青くなっていた。父はいつもの縦《たて》じわのよるしぶい顔で菜々の足をたんねんにふいた。

「歩けるか？」

「うん……」

父は菜々《なな》のさきに立ってゆっくりと歩きはじめた。

ドドーンと波のくだける音がするたびにふたりは波しぶきをかぶったけれど、気にせずおなじ歩調《ほちょう》で歩きつづけた。菜々はなんと父に話しかけたらいいのかと悩《なや》んでいた。逃《に》げたせいでよけいなにもいえなくなってしまった。

ドド――ン！

また大きな波が空中にくだけ散《ち》った。

「菜々、私はね」

父がポツリと口をきった。菜々はおこられる覚悟《かくご》をした。

「はい」

「私は、神さまがきらいなんだ。私は、小さいころから神さまがいると思えるようなことはひとつもなかったもんだからね」

「……」

「菜々は神さまをしんじてるのか？」

「……うん」

菜々《なな》は、父がなにをいいはじめたのかとめんくらった。あんまりおこって頭がおかしくなったのかと考えた。

「でもね、私の人生《じんせい》でたったいちどだけ神さまの存在をしんじることができたことがあってね……」

「それは？」

「それは……、お母さんと暮《く》らすようになったことなんだけれどもね。お父さんは、小さいころ菜々みたいにはすごせなかったんだ」

父の両親は、父のおさないころに死んで、父は親類《しんるい》のうちを転々《てんてん》としながら大きくなったことを、菜々はちょっとだけ母からきいて知ってはいた。でも父がそういう話をするのをきいたのは、これがはじめてだった。

「友だちもあまりいなかったし、なんとなくすみっこで暮らしてた……。そんな私をお母さんは好《す》きだといったんだ。お母さんの目を見たら、小さい目のなかに私が映《うつ》っていた」

菜々は話をききながら、知らず知らずのうちに、自分の手を自分でにぎりしめていた。

「ひとりぼっちだったお父さんは、うれしかったよ……。それはね、私がはじめて守ろうとしたもので、私のなかにはいってきた、はじめてのあたたかいものだったんだ」

父は、そういって言葉を切ると、それまで遠くを見ていた目を菜々《なな》にむけた。

菜々は、父の顔をいま、生まれてはじめて見るような気がした。いつも気むずかしそうに話すこともしない、こわいと思っていた父の目は、菜々の目とそっくりおなじ、まんまるの大きな目だった。

「菜々はね、そのお母さんの子どもなんだ。だいじなお母さんから生まれた、だいじな子どもなんだ」

そして父は顔をあげると、大きな目で空と海のさかいをこわいほどにらんだ。

「他人がなんといおうと、そんなことはしんじない。――私はしんじるよ、菜々を。菜々のほんとうの気持ちがきれいなことをしんじるよ」

菜々は泣《な》いていた。泣きながら告白《こくはく》した。こんなにいってくれる父の子どもである資格《しかく》のない自分を心から恥《は》じながら……。

「お父さん……、でも、私、ほんとうにしたの、ほんとうにテストの答え、見たのよ……」

それ以上はなにもいえなかった。涙《なみだ》がのども鼻もすべてをつまらせ、それ以上話をさせてくれなかった。父はうなずいた。そして、その顔は、べつにざんねんそうでも悲《かな》しそうでもなかった。

「そうか、菜々《なな》……」

菜々は立ちどまり、両手で顔をおおった。声ともつかないような、おそろしい音が菜々のからだのなかにひびいた。

(でも、でも……もっと話すことがあるの。その前のことよ)

そういいたかったけれど、菜々はもうなにもいえなかった。でも、菜々は父が、菜々の話せるようになるまで、きっと待っていてくれると思った。父は待っていてくれる。私が泣《な》きやむまで、私が鼻をかみ終わるまで……。

帰りの飛行機のなかで菜々は父にきいてみた。

「お父さん、お母さんどうしたの？　あんまりおどろいて倒《たお》れちゃったの？」

父は、いつもの父にもどり、しぶい顔でこたえた。

「あまりおどろいて、おなかくだしちゃったよ」

菜々《なな》は下をむいてくちびるをかみしめた。今回は、笑《わら》いをこらえるために。

(いまごろ……効《き》いちゃった……)

10 合い言葉は「屋上《おくじょう》で」

事件《じけん》から一週間後、菜々《なな》の家に一通《つう》の手紙が舞《ま》いこんだ。
白い封筒《ふうとう》には差《さ》し出《だ》し人《にん》の名前もなく、なかをあけてみると封筒とおなじ白いびんせんが出てきた。菜々はちょっと首をかしげながら、四《よ》つ折《お》りのびんせんをパリパリと音をさせてあけてみた。

「合い言葉は――屋上《おくじょう》で。日没《にちぼつ》。
尚《なお》、一年生のときからいままでのテストをそっくり、残らず持参《じさん》すべし」

びんせんをつかむ両手に力がはいって、いまにも破れんばかりにそれはピリピリとふるえた。からだのどこかからか、熱《あつ》いなにかがのぼってくる。

(かおりだ!)

菜々《なな》はいそいで電話にとびつくと、梢《こずえ》の家の番号をまわした。二、三度呼《よ》び出《だ》し音《おん》がして梢の声がきこえた。

「梢、あのね!」

梢は、菜々にそれ以上はいわせないといったふうに、明るい大きな声を急に菜々の言葉にかぶせた。

「合い言葉は?」

菜々は興奮《こうふん》で息《いき》がつまりそうになった。

「屋上《おくじょう》で!!」

そしてふたりは、同時に言葉をうしなった。数秒、無言《むごん》の時が流れ、その後、梢が急にあらたまって話をはじめた。

「菜々、あたしのには、それだけじゃないんだ。もうすこし書いてあんの。なんかどういうことかわかんないんだけどさ……」

「テスト持ってくるようにって?」

「あれ!? 菜々のにも書いてあんの?」

「うん」

「どういうことかな？　あたしやだな、見たくもないよ、あんなひどい点。だいいち、もうほとんどないじゃん」

「どうしてないの？」

「ばっか、20点だ30点だっていうテスト、だいじに、いままでとっておくわけないじゃん。とっくに捨《す》てちゃったよ」

「え――、私なんか物置《ものおき》にお母さんがためてるもん。将来《しょうらい》の思《おも》い出《で》になるからって」

「そりゃ、菜々《なな》はましな点をとってるからね。5点の思い出なんかなになんの。むしかえして二重におこられるだけじゃん」

「まーね、でもかおり、なにする気なのかな」

「あたしに、勉強おしえてくれようっていうつもりかもね」

「屋上《おくじょう》で？」

「へんか……」

「まあ、いってみようよ。梢《こずえ》、ほんとに一枚《まい》もないの？」

「すこしはあるかもしんない。引《ひ》き出《だ》しのおくのほうさがしてみるよ」

「じゃ、屋上《おくじょう》で」
「うん、屋上で」
受話器《じゅわき》をおくと、菜々《なな》は物置《ものおき》へとんでいき、梢《こずえ》は頭をかきかき、舌《した》を鳴らしてごちゃごちゃの引《ひ》き出《だ》しをさがしはじめた。

森《もり》の下《した》小学校では夏休みのあいだ、週に一度、日直《にっちょく》の先生と用務員《ようむいん》のおじさんが校内を見まわる。そして、四月に完成《かんせい》したばかりの新校舎《しんこうしゃ》は新建材《しんけんざい》の臭気《しゅうき》抜《ぬ》きのために窓《まど》という窓、ドアというドアのすべてをあけはなつことになっている。その日が月曜のきょうであることは、梢も、水泳の特訓《とっくん》でしょっちゅう学校にいっていた菜々もよく知っていた。

しかし、菜々は三時四十分を時計の針《はり》がさしたとき、四時になると先生が帰る前にその新校舎が、とじられることを思いだしたのである。菜々はあわてて、ひとまとめにしたテストの束《たば》をつかむと、おおいそぎで家を出た。

校門をくぐると、新校舎はまだ開いていた。菜々は猛《もう》スピードで新校舎に走りこむと、くつ箱《ばこ》の前のすのこに腰《こし》をおろしてひと息ついた。

菜々《なな》も梢《こずえ》も、自分たちの家出《いえで》の行《い》きさきをさがすのに、どれほどかおりがきびきびとうごき、心配しながら頭をはたらかせてくれたかをよくきいて知っていた。

そしてふたりは、なんどかお礼のために、かおりの家をたずねることはしたのだが、たまたまかおりが母の病院《びょういん》へお見舞《みま》いに出かけたあとだったり、生《い》け垣《がき》のすきまから、庭《にわ》に出ているかおりのすがたをちらりと見たとたん、急にはずかしくなって帰ってきてしまったりで、けっきょくいままできちんとお礼もいわないままになっていた。

菜々は、すのこから立ちあがると深呼吸《しんこきゅう》をした。見慣《みな》れた廊下《ろうか》がやけに広く見える。テストの束《たば》を右手に、スニーカーを左手に、菜々は廊下を歩き、階段《かいだん》をのぼった。

ひんやりと暗い階段は、四階と屋上《おくじょう》のあいだの踊《おど》り場《ば》につづき、菜々は最後の屋上までの階段をゆっくりのぼると、すこし緊張《きんちょう》して屋上の鉄のとびらの前に立った。

これをあけると、梢がいる。そしてかおりが待っている。

とびらがギイと音をたてると、菜々の目に西の空を、雲が静かにうごいていくのが、映《うつ》った。そして金網《かなあみ》を背《せ》にして立つかおりと梢が――。

「梢……ひとり?」

「うん」

菜々《なな》の予想《よそう》にはんして、屋上《おくじょう》で待ちうけていたのは梢《こずえ》だけだった。

「かおりは？」

「きてない」

ふたりは顔を見あわせると、同時に気がぬけていくのがわかった。かおりはとうにきていて、ふたりを待ちうけているものと思っていたのだ。手紙がきた以上、かおりがこないはずはない。

しかし、かおりはいっこうにすがたを見せず時間はすぎていく。

梢のミッキーマウスの腕時計《うでどけい》は四時をまわり、校庭を帰っていく男の先生のすがたが下に見えた。

「あーあ、どうする？　先生帰っちゃったよ」

「ということは、かおりはどうやって屋上にくるのかな？」

菜々が梢を見ると、梢はわからないといったふうに首をかしげた。三人とも以前から放課後《ほうかご》、校舎内《こうしゃない》であそんでいるうちに鍵《かぎ》をしめられてしまった経験《けいけん》がなんどかあったので、こういう場合は、窓《まど》から脱出《だっしゅつ》すればいいことはわかっていた。

そして屋上の鉄のとびらは、校舎内から屋上に出るためには鍵がひつようだけれども、屋上《おくじょう》からはノブをひねるだけでかんたんに開くとびらであることもよく知っていた。しかし、鍵《かぎ》のかかった校舎内《こうしゃない》にはいりこみ、屋上までのぼってくるということはしたこともないし、どう考えても、できることとは思えない。

「これまでかおりは、約束《やくそく》やぶったこといちどもないもんね」

「そりゃそうだけど、無理《むり》だよ。鍵しめられちゃったんだよ」

「じゃ、あきらめて帰る？」

「うーん……」

「くるよ、きっとくる。だってかおりのことだもん……」

「うん……べつに、なんの用事《ようじ》もないしね。もうすこし待ってみよっか」

ふたりは顔を見あわせてニッとわらった。そして、今にも、学校の前の通《とお》りをかおりが走ってくるような気がして、金網《かなあみ》に顔をおしつけた。夏の夕《ゆう》がたの風が校庭の木ぎを揺《ゆ》らしている。

ふたりの頭のなかで、なん十回かおりが通りにあらわれただろう、ふと梢《こずえ》が腕時計《うでどけい》に目をやると、さっきから三十分がもう過《す》ぎていた。梢は乱暴《らんぼう》に、菜々《なな》の目のまえへその時計をつきだした。

「頭きちゃうなあ、どういうのこれ！」

梢《こずえ》がいらいらしながらいうと、菜々《なな》はだまってうなずいた。

「どうしたのかしらね、交通事故《こうつうじこ》だったりして」

「まさかあ」

ふたりはまただまると、金網《かなあみ》にのぼって下をながめた。交通事故がおこったような
ようすはどちらを見てもない。

時計は五時をすぎた。

「梢、テストみつかったの？」

「うん、まあね。そんなにたくさんはないけどさ」

梢は、菜々のひとかかえにもなるテストの束《たば》を横目で見ながらいった。しかし、梢
のどこにもそれらしきものは見あたらない。

「たくさんないって、どこにあるの？　一枚《まい》も持ってないじゃない」

「ここにあんの」

梢は、すこしゆるめのジーパンのポケットをたたいてみせた。菜々は納得《なっとく》しかねる
ように梢を見て、まただまった。

時計は六時近くをさし、ふたりの忍耐《にんたい》も限界《げんかい》となった。

あいかわらず涼風《りょうふう》がふたりのほおや髪《かみ》をなで、西の空は夕焼《ゆうや》けをはじめる準備《じゅんび》をととのえている。

「あと十分待って、こなかったら帰ろ」

菜々《なな》がいうと、梢《こずえ》は時計をにらんでうなずいた。

もうすぐ夕焼けがはじまる。時計は十分をすぎた。

「帰るよ！」

梢は、時計から目をあげるとおこったようにいった。

そのとき、屋上《おくじょう》の鉄のとびらがギイーッと音をたててゆっくりひらいた。

かおりである。かおりはふたりの顔を見ると、おどろいたように口をおさえ、そのあとその顔はパッと笑顔《えがお》にかわった。

「もうきてたの」

菜々も梢も、さっきまでの腹立《はらだ》ちはどこへやら、うれしさをかくしきれないといった態度だったが、口だけは、あいかわらずの調子でいった。

「なにがモウよ。モウなんてとっくにとおりすぎちゃって、ガオーッて感じよ」

「ほんとだよ。いつから待ってると思ってんの？　四時だよ、四時、いま六時半、わかる？」

「なんでそんなに早くからきてたのよ？」

「だって、校舎《こうしゃ》しまっちゃうじゃない」

「バカね、非常階段《ひじょうかいだん》のぼってくればいいでしょ。私、日没《にちぼつ》って書いたじゃないの」

「非常口《ひじょうぐち》がひらいてるなんて知らないもん」

「だいたい、不親切《ふしんせつ》なんだよかおりはさ」

「なにいってるのよ、常識《じょうしき》ですよ。知らないの、警察《けいさつ》のひとが夜まわってから、最後に非常口をしめるってこと」

「知るわけないじゃん。あたし夜警のひとじゃないからね」

菜々《なな》は、かおりと梢《こずえ》の会話をききながら、なにかなつかしいものをきいているような気分になり、ふと胸《むね》が熱《あつ》くなった。ふたりの背景《はいけい》の西の空は赤く染《そ》まりはじめている。

「かおり、ありがと」

菜々がとつぜん、小さな声でそういうと、梢はハッとしたような顔をして、一瞬《いっしゅん》考えこむようにだまった。そして下をむいたまま話しはじめた。

「かおり、ありがと。ほんとうはすぐ菜々《なな》とお礼をいいに、かおりんちにいったんだよ。でも……なんとなく顔みるのてれちゃったりしてさ……」

かおりはほほえんでから、ちょっと口をへの字にゆがめて、おどけるようにいった。

「頭きちゃうわよね。ふたりでどっかにいっちゃうなんて、いくらなんでもそれはずるいっていうものよ。私だけにハマグリとつきあってろっていうわけ？」

三人はクスクスわらいつづけた。そのうち菜々が、かおりの胸《むね》にかかえられたテストの束《たば》を見つけ、思いだしたようにいった。

「あ、テスト、持ってきたけど」

かおりはふたりの顔をじっと見た。梢《こずえ》は、ごそごそジーパンのポケットに手をつっこみ、なにやらまるまった紙くずを、二、三個《こ》手に持った。

「なにそれ？」

菜々がのぞくと、梢は赤くなりながら、それをひらき、自分のものの上でひらたくのばした。

「これしかないんだよね。押《お》し入《い》れのすみに一個と、本箱と引《ひ》き出《だ》しに一個ずつ」

梢《こずえ》がおずおずふたりの前にさしだしたのは、ばってんだらけの算数30点、まっ白けな理科20点、ちょっとまるのある国語40点のしわくちゃなテストだった。

かおりと菜々《なな》は、梢の気を悪くしないように下をむいて、笑《わら》いをかみころした。

「梢、いいのよ、ちょっと貸して、これ持って」

かおりはそういうと、自分のテストを梢にわたし、梢の三枚《まい》のテストをうけとった。

梢は、かおりの100点と90点がほとんどのテストを数枚《すうまい》めくって、ため息《いき》をついた。

かおりは、梢をじっと見た。

「梢、勉強ってこんなもののことというんじゃないのよ。こんなものこわがったり、ふりまわされちゃだめなのよ」

かおりは、おちつきはらってそういうと、手に持った梢のテストを、ふたりの目の前でビリッと二つに裂《さ》いた。ふたりはびっくりしてかおりを見た。

「私の尊敬《そんけい》する家庭教師《かていきょうし》の先生がこういったの。勉強することはすてきなことだよって。勉強することってね、テストでいい点をとることじゃないみたいよ。勉強するってね、地面ばっか見てたひとが、お花を見て歩くようになって、それから空見て、宇宙《うちゅう》見ることなんだって」

「なあに？　それ、どういうこと？」

菜々《なな》が、まゆをしかめた。

「じゃ、あたしなんかすごい勉強しちゃったよ。海見て、すごい星空見て、その星なんてびっくりしちゃうくらいおおくてさ。となりの星とぶつかって、トライアングルみたいな音が出るんじゃないかって思うくらいなんだから」

「うーん、私がいいたいのはちがうんだけどな……。うまくいえないわ。そうだ、こんど家庭教師《かていきょうし》のくる日に、ふたりともいらっしゃいよ」

菜々と梢《こずえ》は顔を見あわせた。

「こわそうなおじさんなんでしょ？」

菜々がかおりの気持ちをきずつけないように気をつかいながらそういうと、かおりはニッとわらってみせた。

「ところが！　カッコイイんだから、ちょっと映画《えいが》に出てきそうよ」

「キャーッ、あたしいく」

梢が奇声《きせい》をあげ、菜々とかおりはわらってしまった。

それから三人は、それぞれの手に持ったテストに目をやった。そしてかおりが、ふたりの手のなかから半分ずつテストをうけとり、くるりとふたりに背《せ》をむけると、ッカツカと屋上《おくじょう》の柵《さく》に近づき、一段《だん》高くなったコンクリートの台にのった。

菜々《なな》と梢《こずえ》がそれにならうと、かおりは高く赤いテストを目のまえに持ちあげた。

「いい?」

菜々と梢は、かおりを見てうなずいた。

「いくわよ、せーのー」

ビリッ!

三つに分けられた採点済《さいてんず》みのテストは、それぞれの手のなかでちがった裂《さ》け目《め》をつくって、二つに破《やぶ》れた。

そのあとは、もう二枚《まい》が四枚、四枚が八枚……。

赤いまるやばつのついたテスト用紙は、小さな紙吹雪《かみふぶき》となって、屋上から校庭の上空を舞《ま》いはじめた。

まるで三人は、舞台《ぶたい》のてんじょうにはりついた雪係《ゆきがかり》のようだった。

テストの雪は、小さなひとひらに、赤い花芯《かしん》のような線をうきだたせながら、校庭のあちこちに降《ふ》りしきり、白いじゅうたんのようにひろがった。

また、それは三人の手からはなれると夕日《ゆうひ》をあびて、赤くかがやき、くるくると旋《せん》回《かい》しながら風《かぜ》にのった。そして、空中を踊《おど》る白い川のようになって流れていき、校庭の桜《さくら》の葉にとまり、泰山木《たいさんぼく》の花に小さなチョウのようにしてとまり、最後に校庭に落ちていく。

風の背《せ》にしっかりとつかまった一部は、校庭をよこぎって、神社の森の栃《とち》の木や栗《くり》の木、けやきの枝や葉のなかに落ちていった。

三人は風にのって飛んでゆく紙吹雪《かみふぶき》を見ているうちに、自分たちが紙吹雪の一枚《まい》一枚にのっかって、空にときはなたれ、自由に飛びまわるのを見ているような気がしていた。

三人は金網《かなあみ》にのぼり、上半身をのりだして、できるだけ空に近づこうとした。

「このままずっと三人でいたいね……」

梢《こずえ》がこういうのをききながら、菜々《なな》とかおりは目を細め、じっと夕日《ゆうひ》のしずんでいくのを見ていた。

「私ね、付属中学《ふぞくちゅうがく》、受験《じゅけん》しようと思うの」

菜々と梢は、だまってかおりの顔を見ると、ゆっくりうなずいた。

八月の終わりの夕焼《ゆうや》けがすみれ色に変化した。

菜々《なな》は、夕焼けのなかに父の顔を思いうかべ、その顔は田丸《たまる》先生の顔に変化し、最後に西田《にしだ》先生の顔になって消えた。

この空の下にはいろいろなひとがいる。ほんとうにいろいろなひとが、いろいろなことを考えて生活している。そして、そんなにもさまざまな人たちをつないでいくことのできるものは、しんじあうという、ただひとつのことしかないのかもしれない。

菜々は、二学期がはじまったら、西田先生となにか話をしてみようと思っていた。

神社の森でひぐらしが鳴きはじめた。

銀やんまが、夕焼けをよこぎっていく。

三人は、それぞれの思いを胸《むね》に、最後の最後の光が消えるまで、そこをうごかないでいた。

〔解　説〕

もっともナウな少女小説

西本《にしもと》鶏介《けいすけ》

初めてこの小説を読んだとき、私は一瞬《いっしゅん》、作者の年齢《ねんれい》を疑《うたが》いました。果《はた》しておとなの書いた小説だろうか、もしかして、ものすごく小説のうまい十二歳の少女が書いたのかもしれない。でも、考えてみれば、小学生にこんな達者《たっしゃ》な小説を書けるわけがなく、おとなでも、よほど力のある作家でなければ書けるものではないと思いなおしました。

と、いうのも、ここにはおとなである作者の顔がまったく影《かげ》をひそめ（へたな作品ほど、おとなが顔をだし、説教《せっきょう》したがるものです）、まさに十二歳そのものの少女たちがいきいきと動きまわっていたからです。ちょっとドライでたくましく、そのくせ、どこかあぶなっかしくて複雑《ふくざつ》な心のゆらめきが、手にとるようにつたわってきます。おとなにはけっして見えないしなやかでみずみずしい感性《かんせい》が、今日《こんにち》の子どもの姿《すがた》をとおして、あざやかにとらえられています。十二歳の少女になりきって作品を書ける作者の内面の豊かさにあらためて感心しました。

頭の古くなったおとなには、この三人の少女たちは、先生の手に負《お》えない不良少女に見えるかもしれません。教室をぬけだすために、ナイフで指を切るなんて、まともな小学生のやることじゃないと、顔をしかめる人もいるでしょう。でも、そういうおとなにかぎって子どものほんとうの心を知ろうとはしないのです。

かおりも、菜々《なな》も、梢《こずえ》もすばらしい少女です。ひっしで自分を考え、行動しようとします。おとなから見れば、もどかしくても、彼女等なりにせいいっぱい生きようとしているのです。子どもからおとなになろうとする目にうつる世界はなんと不透明《ふとうめい》に見えることか。人生は、これまで親や先生からきかされていたようなきれいごとばかりではない、いつわりとウソに充《み》ちていることに気づきます。現実ともう一つの国を一直線に結びつけていた幼年時代の美しい夢は、しだいに色あせ、真実の姿《すがた》を探求《たんきゅう》せずにはいられません。真実を知れば知るほど現実がうとましくなってきます。

この時期の子どもなら、だれもが共感《きょうかん》できるそんな気持ちのなかで友情とはなにか、愛とはなにかを語りかけてくれるのですから、身につまされるのは当然です。あえていうなら三人の少女とも十二歳《さい》になりきった作者の分身《ぶんしん》そのものといえそうです。したがって先生だからといったって手心《てごころ》をくわえず、容赦《ようしゃ》なく描かれます。

彼女たちが西田《にしだ》先生に抵抗《ていこう》するのは、いきがっているからでも、つっぱっているからでもありません。先生であるまえに、ひとりのおとなとして、その醜悪《しゅうあく》な人間性にがまんができないのです。いやらしい目つきでかおりをながめたり、なれなれしく靴下《くつした》をあらわせようとする先生へのしっぺ返《がえ》しにも、自意識過剰《じいしきかじょう》で潔癖《けっぺき》な少女期特《とく》有《ゆう》の感情がたくまずして表現されています。この小説の魅力《みりょく》の一つは、そんなな《に》げない行動やしぐさのなかにも、この感情のあやが見てとれ、それだけリアリティを感じさせてくれることです。

それといま一つの魅力は、(初恋にもにた)異性への思いがきめこまやかに描かれていて、甘美《かんび》なまでのリリシズムがあることです。

――「だめ、教えてもらったって、フルート持ってないし……」かおりがそういうと、小野《おの》さんはうなずきながら机《つくえ》の上にフルートをおいた。かおりは、そっともういちど自分の手を見た。急に自分の存在がみじめに思え、泣《な》きだしたいような気分がこみあげてきた。かおりがいくら背《せ》のびをしても、その手は十二歳《さい》の手でしかなかった。小さなまるい爪《つめ》や、鉄棒《てつぼう》でつくった豆《まめ》のあるてのひらは、かおりに十二歳の子どもでしかない自分を見せつけていた。……かおりはいままで、いつもいまの自分が好《す》きだと思っていた。十二歳の誕生日《たんじょうび》の前の日だって、十一歳と別れるのが惜《お》しくて、眠《ねむ》るまでは十一歳だと思い、いつまでも眠らないでいたのだ。でも、いまは、十二歳がつらかった。いくら目がさめて、いくら朝がやってきても、かおりは十二歳で、かおりには永遠《えいえん》に十二歳がつづく。そして、小野さんは、川の向こうをどんどん遠くへいってしまう――

これは、かおりの家庭教師である小野さんへの思いを描いたところです。まともな恋人《こいびと》として、まだ自分がおとなでないくやしさが痛《いた》いほどにつたわってきます。十二歳という少女のひっしな心のひだまでが目に見えるようです。

少女の年上の人への思いだけではありません。菜々《なな》に思いをよせる同級生作郎《さくろう》との別れを描いた場面もみごとです。保健室で菜々に傷《きず》の手当てをしてもらいながら、涙《なみだ》を流しつづける作郎の姿《すがた》は、めめしい男の子の姿ではなく、男のやさしさにあふれています。

――右腕《みぎうで》のきず口をあらい終えたとき、菜々《なな》の手になにかポッンとあたたかいものが落ちた。菜々がハッとして作郎を見ると、作郎は泣いていた。声もたてず、ただ涙《なみだ》を流していた。……「泣かないでよ！」無表情《むひょうじょう》だと思っていた作郎の顔がよく見えた。長い濃《こ》いまつ毛《げ》がはげしくまたたいている。作郎は、はじめから泣くまいとしていたのだ。考えてみれば、女の子の菜々の前でへいきで泣く男の子なんているはずもない。菜々は大声をだした自分がはずかしくなった――

少女ばかりか、作者は男の子の耐《た》えるかなしさまでも、わかっているのです。いかにも新鋭《しんえい》らしいきびきびとした文体が、そんな複雑《ふくざつ》な思いを描くのに効果《こうか》をあげています。

しかし、なんといってもこの小説のいちばんすぐれているところは、三人の友情の描き方にあります。どこか同性愛《どうせいあい》にもにた愛憎《あいぞう》の起伏《きふく》が、そのまま三人の個性をとおして描きわけられています。くっついたりはなれたりしていても、けっして絶《た》ち切ることのできない友情、こんな友情でむすばれている三人をうらやましく思わない人はいないでしょう。長い人生のなかで、青い時代にむすばれた友情ほど貴重なものはありません。

菜々《なな》がリレー選手の役割りを果《は》たすことができたのも、梢《こずえ》が病気にうちかつ勇気を持つことができたのも、かおりがふたりの家出《いえで》の行きさきを知ったのも、この友情があればこそです。親や先生にいえないことをうちあけられる友だちのいるありがたさをしみじみと感じさせてくれます。三人が直面する問題はけっして小説の上のできごとだけではなく、きょうを生きる子どもならだれもがかかわらずにはいられない問題です。それをまことに興味《きょうみ》深い小説として書きあげてくれた作者に心から拍手《はくしゅ》をおくりたいと思います。この本はもっともナウな少女小説であり、すぐれた青春文学です。

『十二歳の合い言葉』でデビューした作者の薫くみこさんは、まだ二十代の新鋭《しんえい》作家です。にもかかわらず、新しい小説をつぎつぎと発表していて、いまや子どもたちの人気作家になりつつあります。この「十二歳シリーズ」も、すでに『あした天気に十二歳』『十二歳はいちどだけ』のあわせて三冊が出ており、つぎに『きらめきの十二歳』が出ます。かおりや菜々や梢がその後どうなったか、ぜひ読んでみてください。

収録作品について

十二歳の合い言葉　　こども文学館・31
（1982・12.刊）ポプラ社

ISBN4－591－02094－0
N.D.C. 913

十二歳の合い言葉　　ポプラ社文庫　A 184

著　者　　薫　くみこ　©

1985年10月　第1刷
1987年7月　第7刷

検印省略

発行者　田　中　治　夫
発行所　株式会社　ポプラ社
東京都新宿区須賀町5
〒160　振替東京4－149271

印刷所　瞬報社写真印刷株式会社
製本所　大和製本株式会社

落丁本・乱丁本はおとりかえいたします。

ポプラ社文庫を座右におくる

日本の出版文化数百年の歴史からみて、今日ほど児童図書出版の世界が、あらゆる分野にわたって絢爛をきわめ、豪華を競っている時代はない。多くの先人が、えいえいとして築きあげた児童文化の基盤に、後進の新鋭が、新しい魂の所産を孜々として積み上げてきた、その努力の結果がいま美しく開花しつつあるといってよいと思う。

反面、自由な出版市場に溢れる児童図書の洪水は、流通の分野で混乱をおこし、読者の立場からいえば、欲しい本が手に入らないという変則現象を惹きおこすことになった。

加えてオイルショックに始まった諸物価の高騰は、当然出版物の原価にハネ返り、定価の騰貴をよび、読者を本の世界から遠ざけるマイナスを招いてしまった。

ポプラ社は昭和二十二年以来、数千点に及ぶ児童図書を世におくり、この道一筋の歩みをつづけて来た。幸い流通市場の強力な支援をうけ、また制作部門のささえもあって、経済界の激動をジカに読者へ転化しない方策を講じて来たつもりである。しかし三十年の出版活動の中に生んだ、世評の高い諸作品が、ややもすれば読者の手に届かない欠陥のあることを憂い、ここに文庫の形式をとり、選ばれた名作を、更に読みやすく、廉価版として読者の座右におくることにした。

この文庫の特長は、児童図書の一分野に企画を留めず、創作文学、名作文学、実用書、少女文学等、幅の広い作品を紹介し、多くの読者に、本に親しむ楽しさを堪能してもらうところにおいた。ご批判と、変わらぬご愛顧をたまわれば幸いである。

（一九七六年十一月）